PAUL GAUGUIN

Collection « Biographie »

FRÉDÉRIQUE DE GRAVELAINE

PAUL GAUGUIN

LA VIE
LA TECHNIQUE
L'ŒUVRE PEINT

Production : Edita S.A., Lausanne.
Direction et conception de l'ouvrage : Dominique Spiess.
Réalisation des études techniques : Catherine Cuenin.
Maquette : André Milani.

ISBN 2-88001-237-6
EAN 9782880012373

LA VIE

LE VAGABOND

Ma technique ? Très vagabonde, très élastique, selon les dispositions où je me lève le matin... Je suis capricieux.

Terrible démangeaison d'inconnu qui me fait faire des folies.

Au surplus, moi-même, je ne me vois pas toujours très bien.

Voyageur, fugueur dès l'enfance, Gauguin fut sa vie durant un nomade, errant à la recherche du lieu idéal où il se trouverait, où il trouverait enfin l'harmonie. *"Mes yeux se ferment pour voir sans comprendre le rêve dans l'espace infini qui fuit devant moi, et j'ai la sensation de la démarche dolente de mes espérances."* Sans trêve, il *"rêve éveillé"* pour fuir une réalité qui lui demeure insaisissable, dans l'espoir toujours compromis et toujours reconduit d'un avenir meilleur.

Dans sa technique, son œuvre, sa vie, Gauguin est un vagabond. De ces hommes que rien n'attache, inconstant avec ses amis, sa femme, ses compagnes, ses enfants. Outrancièrement égocentrique, mythomane dès que les faits démentent son rêve, il semble obstinément refuser l'état adulte et les responsabilités. Tout cela au nom de sa nature d'artiste : *"Pourquoi vouloir nous imposer des devoirs semblables aux leurs, nous ne leur imposons pas les nôtres."*

A propos de son travail, il revendique une méthode *"de contradiction : faire tout ce qui est défendu et reconstruire, sans crainte d'exagérations"*. En matière picturale comme ailleurs, il ne veut reconnaître qu'une règle, la liberté. *"Du reste l'artiste doit être libre ou il n'est pas artiste"*. Avec une passion sans pareille il idolâtre l'Art et veut *"vivre en Beauté"*. Il se ménage un décor dans lequel les bois sculptés pourraient être des niches protectrices, les sculptures des fétiches, les toiles des sacrifices à un dieu dévorateur, exigeant et absent.

Sa volonté naïve d'être *"un grand artiste"* prêterait à sourire s'il ne s'y était si totalement abandonné, affrontant la misère et la solitude absolue. Mécréant, renégat - une *"canaille"* jugera le gouverneur de Tahiti - il ne délaisse un combat que pour livrer bataille sur un autre front. Contre l'académisme puis contre les impressionnistes, contre les Ecoles et les sociétés de peinture, contre les critiques, contre les bourgeois, l'Eglise et le colonialisme, contre la civilisation gréco-latine, contre le rationalisme... Nul n'échappe à son intransigeance et son isolement, exacerbé par la souffrance, la maladie, l'alcool et la drogue, progressivement l'effacera du monde des vivants.

Contestataire en tout, il incarne jusqu'à la caricature le mythe du créateur maudit, image née au milieu du 19e siècle avec le divorce entre l'art officiel et l'art novateur : déjà Delacroix, quoique reconnu de son vivant comme l'avait été Ingres, était suspect parce que soutenu par Baudelaire, l'auteur réprouvé des "Fleurs du mal". Avec Lautréamont, Rimbaud, Cézanne, Gauguin méprise son siècle et la société le lui rend bien, qui le considère comme un farfelu dangereux. La gloire - "Quel vain mot, vaine récompense !" - il en est affamé malgré le détachement qu'il affecte face aux risées de "la foule stupide et lâche". Mais puisqu'elle se refuse, il revendique sa place dans la lignée des "Rousseau, Millet - ce grand poète qui est presque mort de faim - Corot, Courbet, Manet"... Tous, dit-il, "ont eu raison avec le temps". Et même si le doute souvent obscurcit sa fragile confiance dans la vie, il prévoit qu'un jour la reconnaissance lui viendra.

Avec lucidité, il pressent que ses successeurs sauront investir le terrain qu'il a défriché avec la fougue d'un insurgé. Lucide encore, il prophétise amèrement, à l'aube du 20e siècle : "Vous verrez que tout s'effondrera fatalement dans des guerres." Mais ce regard aigu qu'il porte sur l'époque comme sur les faiblesses de l'art académique, il n'a pas su le tourner vers lui-même.

"C'est effroyable tout ce vice-versa de désirs et de besoins incompatibles" disait de lui Vincent van Gogh. Les récits de ses contemporains décrivent tour à tour sa voix et son regard doux, son attitude modeste. Et son arrogance, ses réparties méprisantes, son orgueil de fer... Gauguin lui-même avoue : "L'homme traîne son double avec lui." Personnalité toute de contradictions, il tente d'abord d'endosser l'habit du bourgeois respectable, mais sans conviction : "Je n'ai rien de ce qui fait reconnaître la vertu du vice" dit-il en 1874, alors qu'il vient de se marier. A trente-six ans, il se révolte, et laisse s'exprimer sa "nature d'Indien" qui lui permet "de marcher tout droit et fermement". Au détriment de son affectivité, sa part "sensitive" qui souffrira jusqu'au bout d'une solitude imposée.

"L'artiste prima l'homme et l'opprima" écrit Charles Morice, son premier biographe, émerveillé par cette "fatalité vraiment sublime !" En ces temps encore romantiques, on voyait dans la fatalité plus d'hérédité que de névrose... Dans son désir de s'affirmer, Gauguin endosse résolument la défroque de l'incompris, avec un souci du détail exemplaire. "La première chose est de ne pas passer inaperçu." Grande gueule, provocateur, il "cloue l'indécence sur sa porte", affiche une vie dissolue, porte cheveux longs et vêtements extravagants. Il répète avec complaisance le jugement de Degas - "Gauguin, le loup maigre sans collier" - et semble courir au-devant de tous les ennuis. "Est-il de bonheur sans douleur ?" Cette légende qu'il s'acharne à composer - les psychanalystes aujourd'hui parleraient de conduite d'échec et de pulsions suicidaires - réussit à éclipser le créateur. "Puisque mes tableaux sont invendables, qu'ils restent invendables. Et il arrivera un moment où on croira que je suis un mythe, une invention de la presse." Ses autoportraits décrivent un homme harassé sous le poids de la fatalité. Pourtant, ce destin aussi capricieux que lui-même, Gauguin n'a pas cessé de chercher à le forcer : "J'ai voulu vouloir". Combat inégal. De cette prison-là il ne peut s'évader. "La vie n'a de sens que quand on la pratique volontairement" écrit-il mais souvent il s'apitoie sur son sort, réclame éternellement de l'argent à ses amis, en appelle à "l'indulgence dont j'ai besoin dans ma folie et ma sauvagerie".

Paul Gauguin en compagnie de sa fille Aline.

"*Votre civilisation, ma sauvagerie*" proclame-t-il. Pourtant de son propre aveu, dans son œuvre "*tout est voulu absolument, longuement médité et calculé*". D'où cet art plus cérébral que sensuel dont la grande force réside dans un dialogue constant entre le primitif et le sophistiqué. S'y côtoient sentiment du sacré et émotion picturale, inventions décoratives et libertés abstraites. Hybride, Gauguin a fait son miel de mille influences, progressant de façon chaotique, chercheur toujours insatisfait, en quête d'il ne saura jamais trop quoi, trop déchiré qu'il est par ses contradictions intérieures, trop sensible aux souffrances matérielles. Et l'ignorance où il demeure des choses de l'inconscient, malgré son exceptionnelle intuition et son ouverture à la mythologie, le tient à l'écart de lui-même, perpétuel déraciné.

Son unique racine, son seul lien à la réalité, il les forgera dans son duel avec la matière. Lorsqu'il tend sur le châssis la toile grossière, lorsqu'il parle des chromes et des indigos, lorsqu'il découvre le grès sorti du grand feu, lorsqu'il attaque un tronc d'arbre à la hache avant d'y planter sa gouge, alors on le sent entrer en jubilation. Peignant face au soleil de la Martinique, il riait aux éclats, a raconté son compagnon Charles Laval. Ce bonheur à toucher la matière, à y imprimer l'idée, il nous le fait partager. Même dans ses toiles les plus douloureuses, la magie opère dès qu'il ose ne pas trop calculer. Alors, comme par surprise, au-delà de l'anecdote et de l'allégorie, il soulève un coin du voile, accède au mystère "*insondable*". Peu d'artistes ont su comme lui capter "*les choses confuses*", selon la formule du critique Octave Mirbeau qui le sacra premier peintre symboliste. Gauguin nous donne à percevoir l'invisible. Cela seul suffirait à faire de lui un des créateurs les plus originaux des temps modernes. Un précurseur, jusque dans ses angoisses métaphysiques, sa marginalité désespérée, ses angoisses stylistiques.

UNE VIE CAHIN-CAHA, BIEN AGITÉE

Ce que ma mère était jolie quand elle mettait son costume de Liménienne, la mantille de soie couvrant le visage et ne laissant voir qu'un seul œil : cet œil si doux et si impératif, si pur et caressant.

7 juin 1847
Naissance de Paul Gauguin à Paris.

Octobre 1848
Départ pour le Pérou. Au cours du voyage, mort de Clovis Gauguin, son père. A Lima, le grand oncle d'Aline Gauguin l'accueille avec ses deux enfants, Marie et Paul.

1855
Retour en France.

"Si je vous dis que, par les femmes, je descends d'un Borgia d'Aragon, vice-roi du Pérou, vous direz que je suis prétentieux". Pourtant, c'est vrai : Aline, sa mère, était la fille de Flora Tristan, enfant naturelle de Don Mariano Tristan y Moscoso. Auguste grand-mère que Paul Gauguin décrit dans ses "Souvenirs de jeunesse" ("Avant et Après". 1902-1903) : *"une drôle de bonne femme"* mais *"fort jolie et noble dame"*. *"Elle inventa un tas d'histoires socialistes, entre autres l'Union ouvrière. Les ouvriers reconnaissants lui firent dans le cimetière de Bordeaux un monument. Il est probable qu'elle ne sut pas faire la cuisine. Un bas bleu socialiste, anarchiste."*

Malgré le ton ironique, Gauguin était très fier de cette ascendance, *"sang mêlé de grande noblesse et de sauvage aztèque"* et il prétendait avoir hérité de *"Montezuma, dernier roi Aztèque"* le profil busqué d'Indien qu'il accentuait dans ses autoportraits. En héritage aussi, peut-être, l'exaltation, la révolte et le prosélytisme de l'originale Flora, auteur des *"Pérégrinations d'une paria."*

Excessif aussi, le grand-père André Chazal, graveur lithographe, condamné à vingt ans de travaux forcés pour avoir tenté d'assassiner sa femme Flora qui l'avait quitté. Clovis Gauguin, père de Paul, descend d'une longue lignée de jardiniers du Loiret. Chroniqueur politique au "National", journal de la bourgeoisie libérale, il voit sans enthousiasme l'arrivée au pouvoir de Louis-Napoléon Bonaparte et s'embarque avec sa famille pour le Pérou où il compte fonder un journal. Il meurt en route, sous l'empire de la colère contre *"un capitaine épouvantable"*, à en croire son fils.

1855

Chez l'oncle Isidore, à Orléans.

1859

Aline s'installe comme couturière à Paris. Paul entre pour trois ans au petit séminaire d'Orléans.

7 décembre 1865

Il s'embarque pour Rio sur le "Luzitano" comme pilotin (élève officier).

7 juillet 1867

Mort d'Aline.

3 mars 1868

Service militaire sur le "Jérôme Napoléon".

23 avril 1871

Libéré à Toulon.

*Aline Gauguin, mère de Paul.
Portrait de l'artiste en 1892.*

Accueillie à bras ouverts par le puissant et riche grand-oncle, Don Pio de Tristan y Moscoso, la famille reste à Lima, *"ce pays délicieux où il ne pleut jamais"*. Paul en gardera un souvenir éclatant de couleurs et de pittoresque qui alimentera plus tard son inspiration. Mais aussi sa nostalgie du paradis perdu : bien-être matériel et sécurité affective resteront pour lui associés au rêve tropical.

J'ai toujours eu la lubie de ces fuites car à l'âge de neuf ans j'eus l'idée de fuir dans la forêt de Bondy avec un mouchoir rempli de sable au bout d'un bâton que je portais sur l'épaule.

"Cet enfant sera un crétin ou un génie" aurait dit un professeur de Gauguin, qui ajoute : *"Je ne suis devenu ni l'un ni l'autre."* Fugueur, ombrageux, *"par instinct de liberté ou défaut de sociabilité"*, il affirme

Le "Chili".

avoir appris chez les Bons Pères *"à haïr l'hypocrisie, à me méfier de tout ce qui est contraire à mes instincts, mon cœur et ma raison"*.

De son expérience de marin, il décrit un départ *"tout à fait délicieux"* mais avouera plus tard à sa sœur : *"Ce fut l'amertume de ma vie"*.

Sa mère, par testament, confie la tutelle de ses enfants à Gustave Arosa, un ami d'origine espagnole qui travaille en Bourse à Paris. Elle s'inquiète pour la carrière de son *"cher fils"* : *"il a su si peu se faire aimer de tous mes amis qu'il va se trouver bien abandonné"*. Le tempérament farouche du jeune homme annonce déjà *"Gauguin le Terrible"* décrit par Guillaumin en 1883 et que seuls les amis patients sauront *"malgré sa rudesse, trouver dans la tempête"*.

Je ne puis me résigner à rester toute ma vie dans la finance et peintre amateur.

Grâce à Gustave Arosa, Gauguin s'initie conjointement à la Bourse, à la peinture, et au mariage. Chez lui, il rencontre une jeune danoise, Mette Gad. Certains la jugent sans douceur, quasiment masculine mais il est séduit, par *"l'originalité de son caractère"* et son esprit d'indépendance.

31 août 1874

Naissance de son fils Emile.

1875

Expose pour la première fois au Salon : "Sous-bois à Viroflay".

24 décembre 1877

Naissance d'Aline.

1879

Commence à acheter des toiles des Impressionnistes et participe à leur 4ᵉ exposition.

10 mai 1879

Naissance de Clovis

Avril 1880

Participe à la cinquième exposition impressionniste.

1881

6ᵉ exposition impressionniste. Avec en particulier "Etude de nu" remarquée par Huysmans.

12 avril 1881

Naissance de Jean-René.

Mars 1882

7ᵉ exposition impressionniste.

Mette avec Emile et Aline en 1878.

Amateur d'art et de procédés photographiques, Arosa possède une très riche collection, entre autres de Corot, Courbet, Daumier, Jongkind et surtout une quinzaine de Delacroix. Découverte décisive dont Gauguin gardera définitivement la marque, jusque dans l'influence que ces maîtres auront sur son œuvre.

Dès 1871 d'après certains biographes, en tout cas en 1873, il commence à peindre en compagnie de Marguerite, la fille d'Arosa. Puis il achète, grâce à ses succès boursiers, quelques tableaux recommandés par Camille Pissarro auprès de qui il est entré en Impressionnisme. Très inégal, progressant avec peine, il a du mal à se faire une place, ignoré par Degas, traité de "premier barbouilleur venu" par Monet. Pourtant il se démène, milite avec ferveur contre l'Académisme, *"art de vieillard ramolli"*, se préoccupe des querelles internes au mouvement impressionniste puisque, sans exposition collective, il *"reste sur le carreau"*. Et il achète *"dans les* prix doux", ou échange avec entrain des peintures de Pissarro, Cézanne, Guillaumin, Sisley : un dessin de Daumier, des aquarelles de Jongkind et de Lewis Brown... Belle collection, pas tout à fait désintéressée : "*J'ai acheté à très bas prix quand personne n'en voulait.*"

Elève appliqué, il pratique l'Impressionnisme comme un rite mais sa vision morne, ses ciels lourds, son goût pour les sujets rustiques à la Millet, lui interdisent de partager les joies scintillantes des "luminaristes". A peine s'en approche-t-il dans ses pastels, ses gouaches et ses éventails, grâce à des coloris beaucoup plus clairs et gais. Parfois, sa vraie nature pointe le museau, lorsqu'il conseille à Pissarro de peindre plus en atelier, ou lorsqu'il sculpte à la gouge, en 1881, deux petits panneaux de bois inspirés par un motif de tapisserie orientale.

L'art envahit sa vie, il pense à "*devenir peintre*" : "*Se sentir quelque chose dans le ventre et faute de moyens ne pouvoir travailler !*" écrit-il à Pissarro en novembre 1882. Le krach de l'Union Boursière qui jette le monde de la finance dans la crise et lui fait perdre son emploi, en 1883, sera le prétexte attendu.

Sourdement, en état d'ignorance, mais cependant résolu.

Emile Schuffenecker dans son studio.

Gauguin ne parlera que vingt ans plus tard, dans "Avant et Après" de son acharnement solitaire, cet "*effort*" entrepris pour libérer le peintre en lui. Passée la première excitation - "*Désormais je peins tous les jours*" - il commence à déchanter. Il s'est installé à Rouen dans l'espoir d'y vivre à moindres frais et de vendre un peu "*dans cette ville où il y a des négociants riches*". Mais ses économies fondent rapidement. Pissarro admire la détermination "hardie" de "ce diable de Gauguin" mais s'inquiète : "Après trente ans de peinture… je bats la dêche. Que les jeunes se le rappellent : c'est le lot et pas le gros !"

Il a beau "*prendre le taureau par les cornes avec énergie*", Gauguin se heurte à la dure réalité : "*Ma femme est ici insupportable, trouve tout mal, voit l'avenir en noir. Il faut avouer qu'il l'est en effet.*" Le voilà "*dans la mélasse*", partagé comme il le restera longtemps entre la volonté de "*se débrouiller à toute force avec la peinture*" et la tentation de retrouver un emploi "*dans les affaires*". Déjà, il se réfugie dans le rêve, multipliant les formules d'espoir - "*la manne tombera peut-être du ciel*" - les futurs et les conditionnels. Processus qu'il répètera pendant des années, jusqu'à l'échec de son retour de Tahiti, mais qui ne trompe pas Pissarro : "Il est plus naïf que je ne le pensais !"

*Je hais les Danois.
N'importe quoi plutôt que de souffrir
dans ce sale pays !*

"*Emmerdé jusqu'au cou, je me console en rêvant.*" A Copenhague, Gauguin ne réussit pas à vendre les "toiles imperméables et bâches imputrescibles" de la maison Dillies. Il a du mal à peindre - "*au Danemark, je deviens zéro*" - et subit la pression constante de la famille de Mette qui voit dans le peintre réprouvé un criminel. Pourtant, ses lettres désemparées à Schuffenecker reflètent sa résolution, commencent à théoriser son art : "*Il me semble parfois que je suis fou mais plus je réfléchis le soir dans mon lit plus je crois avoir raison (…) La sensation, tout est dans ce mot.*" Son étude passionnée de la graphologie le conforte : "*Vous voyez des écritures d'homme franc et d'autres de menteur, pourquoi pour un amateur les lignes et les couleurs ne donneraient-elles pas aussi le caractère plus ou moins grandiose de l'artiste.*"

"*A bout de courage et de ressources*" - il a vendu un de ses Manet pour vivre - pratiquement mis à la porte par Mette, il rentre à Paris. Ils ne se reverront que quelques jours, à Copenhague, avant le premier départ pour l'Océanie.

Les biographes de Gauguin ont largement critiqué l'incompréhensive Danoise en particulier pour ne pas avoir reconnu le génie de son mari.

Pourtant, elle a fait beaucoup pour la diffusion de ses œuvres dans le nord de l'Europe, jusqu'à ce qu'il cesse de lui envoyer des toiles, se plaignant qu'elle *"garde tout l'argent pour elle"*.

Ils n'ont jamais cessé de focaliser la difficulté de leur relation sur de sordides affaires d'argent, cela dès 1880 quand Mette rentre chez sa mère, accusée par Paul d'être trop dépensière, puis *"pardonnée"*. Mette devait pourtant bien se débrouiller, nourrir ses enfants, avec des traductions. Elle avait sûrement rêvé d'une autre vie, plus conventionnelle, "moi je ne cours pas le monde comme une folle". Mais Gauguin lui aussi a désiré se fondre dans le moule, *"bon père et bon époux"* se décrit-il en 1874 et plus tard, à la Martinique : *"rien de bon quand la famille est séparée"*. Tous deux ont été aussi dénués de souplesse, aussi irréalistes l'un que l'autre

Pension Le Gloanec à Pont-Aven. Gauguin est assis au premier plan.

et incapables de se comprendre mutuellement. Elle, révoltée par son "égoïsme phénoménal", lui sujet à des bouffées d'autoritarisme, par exemple lorsqu'il interdit à son fils, par courrier, de faire des études navales.

De cette incompatibilité et de leur souffrance témoignent les nombreuses lettres échangées jusqu'à la mort d'Aline, tour à tour tendres ("*quand je reviendrais nous nous remarierons*"), vindicatrices ("*à distance, l'amour n'est pas coûteux*"), culpabilisantes ("*que je regrette de ne pas être mort tout serait fini*") et culpabilisées ("*Evidemment il ne faut pas pleurer mais à tort nos vies sont brisées*"). Après la mort de Gauguin, Mette avouera : "Il y a maintenant quelque chose de cassé en moi."

J'ai connu la misère extrême, avoir faim, avoir froid et tout ce qui s'ensuit. Ce n'est rien ou presque rien, on s'y habitue et avec de la volonté on finit par en rire. Mais ce qui est terrible dans la misère c'est l'empêchement au travail.

"Ce fut une des époques les plus noires de sa vie, moralement, matériellement", raconte Charles Morice. Gauguin ne supporte ni la séparation d'avec sa famille ni "*la course à la monnaie qui vous prend les trois-quarts de votre temps, la moitié de votre énergie*". Le plus souvent hébergé par des amis, surtout Schuffenecker, il mendie des soutiens à droite et à gauche, espère tour à tour un emploi chez le sculpteur Bouillot, une révolution en Espagne sur laquelle il spécule, un poste d'inspecteur de publicité... Clovis malade, il en vient à "*coller des affiches dans les gares pour 5 F par jour*". Mais ses bonnes résolutions de père responsable s'envolent : il met son fils en pension et ne le voit plus que lorsqu'il peut la payer.

Seule joie dans cette "*tristesse*", la rencontre avec le céramiste Chaplet qui lui révèle son talent pour la poterie. Il y espère "*dans l'avenir, une grande ressource*", rapidement conscient, cependant que ses "*monstruosités*" qui tranchent violemment avec la production de l'époque auront du mal à trouver acquéreur.

J'aime la Bretagne, j'y trouve le sauvage, le primitif. Quand mes sabots résonnent sur ce sol de granit, j'entends le son mat et puissant que je cherche en peinture.

"Je m'en vais faire de l'art dans un trou (…) La vie y est pour rien." A Pont-Aven, pension Gloannec (*"pour 75 F par mois logés et nourris, une nourriture à engraisser sur place"*), Gauguin retrouve quelques peintres, en majorité académiques mais, à l'en croire, commence à se faire un auditoire : *"Tout le monde ici se dispute mes conseils que je suis assez bête de donner."* Un peintre écossais l'a décrit : "teint basané, paupières lourdes, (…) béret penché avec désinvolture (…), réservé et sûr de lui".

Inspiré par le paysage, il parle déjà de bannir le mélange des couleurs qui donne *"un ton sale"* et laisse parfois s'enflammer sa palette, ainsi dans les "Rochers au bord de la mer" où éclatent de splendides vermillons : il commence à accorder sa manière avec ses déclarations d'intention. *"Travaillez librement et follement,"* conseillait-il à Schuffenecker en janvier 1885. Et à Pissarro en mai 1885 : *"Il n'y a pas d'art exagéré."* Pissarro avec qui la rupture est complète : il se révolte de la conversion de son ancien maître au pointillisme de Seurat et de Signac. En retour, Pissarro le considère comme un "sectaire austère".

En Bretagne, enfin, il se sent libre. *"Advienne que pourra, et peut-être un jour quand mon art aura crevé les yeux de tout le monde, alors une âme enthousiaste me ramassera dans le ruisseau."*

Je m'en vais à Panama pour vivre en sauvage.
J'emporte mes couleurs et mes pinceaux et je me retremperai loin de tous les hommes.

"Fuir Paris qui est un désert pour l'homme pauvre." Dans cette première tentative pour concilier son besoin d'isolement auprès des *"bons sauvages"* et son désir de faire fortune pour ramener à lui sa famille, Gauguin ne rencontre que des déboires : *"nous avons été stupides et peu veinards"*. Accompagné du jeune peintre Charles Laval, il débarque sans un sou, non pas dans le paradis tropical attendu mais dans une région bouleversée par les travaux pour le percement du canal. Il y trouve à se faire engager, dans des conditions désastreuses pour sa santé : à peine a-t-il réussi à fuir Panama et ses miasmes pour s'installer avec Laval sur l'enchanteresse Martinique qu'il tombe très gravement malade. Sans argent, en but à des *"douleurs d'entrailles intolérables"*, il s'embarque pour la France comme matelot.

Malgré le désastre, il revient riche d'une expérience décisive. *"Là seulement je me suis senti moi-même"*. Cédant à l'exubérance du paysage et du *"va-et-vient continuel des négresses"*, il cède à sa nature et rapporte des toiles exotiques, aux tons gais, aux figures cernées d'un trait qui en

23 octobre 1888
Rejoint Vincent van Gogh à Arles.

23 décembre 1888
Vincent se coupe l'oreille. Départ précipité.

accentue les contours, "Aux mangos", "La Mare", "Pastorale martiniquaise"... *"Malgré ma faiblesse physique, je n'ai jamais eu une peinture aussi claire, aussi lucide (par exemple beaucoup de fantaisie)."*

L'art est une abstraction. Tirez-la de la nature en rêvant devant et pensez à la création qui résultera.

Portrait de la sœur d'Emile Bernard en 1888. Emile Bernard.

Portrait de van Gogh par Gauguin, 1888, ou *van Gogh peignant des tournesols.*

Jules Chaplet a vendu son atelier, terrible déception pour Gauguin qui croyait *"se tirer d'affaire à tout jamais en céramique"* grâce à la proposition d'un commanditaire. Le revoilà battant la semelle, malade, mais sauvé par Théo van Gogh qui lui achète trois toiles, convaincu par le jugement de son frère Vincent : *"C'est de la haute poésie, ces négresses."*

De cet accord entre les deux peintres naîtra la proposition du généreux Vincent de partager un atelier à Arles : *"Pour le même argent que je dépense à moi seul, nous vivrons à deux. On perd toujours quand on est isolé."* Offre à laquelle Gauguin ne répondra qu'après plusieurs mois d'hésitations.

Il s'est en effet réfugié en Bretagne, *"pénétré du caractère des gens et du pays, chose essentielle pour faire de la bonne peinture"*. Comme si ses enfants lui manquaient malgré un *"cœur aussi sec que la table"*, il peint beaucoup d'enfants dans des scènes bucoliques. *"Le dernier est une lutte de deux garçons près de la rivière, tout à fait japonais par un sauvage du Pérou."* Dans ces figures, il n'emploie plus que *les six couleurs du prisme, en les mélangeant le moins possible pour avoir le plus de luminosité. "Pour le dessin, je le fais aussi simple que possible et je le synthétise"*. Déjà la rupture avec l'impressionnisme est consommée et prête à être accueillie la révélation provoquée par les "Bretonnes dans la prairie verte" d'Emile Bernard, rencontre fondatrice de la peinture synthétiste. Bernard en réclamera plus tard le mérite exclusif mais, s'il a effectivement inventé un style, Gauguin, dès "La Vision après le sermon", lui insuffle une perspective métaphysique qui ouvre la voie à une nouvelle vision du monde.

Intellectuel brillant, Bernard pousse Gauguin à affirmer ses théories, par exemple à propos des ombres : "*Examinez les Japonais qui dessinent pourtant admirablement et vous verrez la vie en plein air et au soleil sans*

Portrait de Mallarmé, 1891.

ombres (…) *l'ombre étant un trompe-l'œil du soleil je suis porté à la supprimer.''* Le jeune disciple aide l'homme dans la force de l'âge à accoucher de son véritable style, celui de la forme-couleur où le sujet reste secondaire par rapport à la sensation, à la musique qui, accordée à la pensée de l'artiste, doit susciter l'émotion.

Banquet d'adieu donné au café Voltaire.

De la célèbre leçon que donne Gauguin à Sérusier sur le couvercle d'une boîte à cigares - *"Comment voyez-vous ces arbres ? Ils sont jaunes, eh bien mettez du jaune ; cette ombre plutôt bleue, peignez-là outremer pur !"* - naîtra l'art des Nabis. "Ainsi nous connûmes que toute œuvre d'art est une transposition, une caricature, l'équivalent passionné d'une sensation reçue" expliquera Maurice Denis. L'idée va plus loin que le simple cloisonnisme, procédé né de la technique du vitrail, qui sépare les couleurs par un épais cerne noir. Du même que la *"cynthaise"* dont Gauguin se moquait pour la *"rime avec foutaise"* : en éliminant les détails, en s'écartant du *"mensonge naturaliste"* et en recourant à des *"équivalents plastiques"*, le peintre espère révéler l'essence des choses.

Ainsi l'autoportrait dit "Les Misérables" : *"Tête de bandit personnifiant un peintre impressionniste déconsidéré (...) Abstraction complète. Les yeux, la bouche, le nez sont des fleurs de tapis persan (...) Tous les rouges, les violets rayés par les éclats de feu comme une fournaise (...) Le tout sur un fond chromé pur, parsemé de bouquets enfantins."*

Dans ce véritable manifeste d'art non figuratif où il voit représenté "un prisonnier", Vincent lit bien l'état d'âme du peintre : "pas une ombre de gaité. La chair dans les ombres et lugubrement bleuie, (...) il ne doit pas continuer comme cela, il doit se consoler."

Effectivement, Gauguin était tombé amoureux de la très jeune et très pure sœur d'Emile Bernard, Madeleine, qui lui préféra Charles Laval.

Entre lui et moi, l'un tout volcan et l'autre bouillant aussi mais en dedans, il y avait en quelque sorte une lutte qui se préparait.

"Vincent et moi sommes bien peu d'accord en général" écrit Gauguin, commentant leurs avis divergents sur la peinture. Désaccord d'abord sur Arles même, dont Vincent est enthousiaste et où Gauguin *"trouve tout petit, mesquin, le paysage et les gens".*

Très vite, une *"électricité excessive"* s'installe entre eux. Malgré le profond désir d'entente de Van Gogh et le grand besoin de Gauguin qui trouve enfin là un port d'attache (*"Avec Théo, je suis désormais sorti d'affaire, je crois à l'avenir"*), Gauguin n'a déjà plus l'intention de rester. Il temporise : *"Malgré quelques discordes, je ne puis en vouloir à un cœur excellent qui est malade, qui souffre et me demande."*

Profondément troublé par le projet de mariage de son frère, Vincent provoque la crise à la veille de Noël : douze ans plus tard, Gauguin a raconté que Vincent l'avait menacé d'un rasoir avant de se couper l'oreille,

1892

*Découvre et illustre l'*Ancien culte Mahorie.

1892

Vit avec Teha'amana, très jeune vahiné.

1892

Écrit le Cahier pour Aline.

Mars 1892

Malade, crache le sang.

Printemps 1892

Mette à Paris, en vue de vendre des toiles au Danemark.

Juin 1892

Demande son rapatriement.

14 juin 1893

Embarque gratuitement pour la France.

mais il est plus raisonnable de lire dans ce récit un effet de sa mythomanie.

Le séjour aura été pour lui très bénéfique. Réchauffé au soleil du Midi, il s'abstrait de la mélancolie qui l'avait repris en Bretagne et affirme sa manière dans des toiles *''assez mâles''*, dans des thèmes où il puisera pendant des années. Aidant Vincent qui se cherchait encore à trouver *''toute cette série de soleils en plein soleil, de grands accords de couleurs solides rappelant l'harmonie totale''*, il reconnaît lui devoir *''l'affermissement de mes idées picturales puis, dans les moments difficiles, me souvenir qu'on trouve plus malheureux que soi''*.

Ce que je désire, c'est un coin de moi-même encore inconnu.

Après l'échec de l'exposition de Bruxelles où il ne vend rien et ne récolte que des quolibets. Gauguin retourne se terrer en Bretagne. Refusé ainsi que ses amis par le pavillon des Arts de l'Exposition Universelle, il encourage Schuffenecker à organiser une cimaise, *''pour notre groupe''*, chez

Rue de Papeete.

30 août 1893
Arrivée à Marseille. L'oncle Isidore vient de mourir.

Novembre 1893
Exposition de 44 œuvres à la galerie Durand-Ruel.

1893
Loue un atelier rue Vercingétorix.

1893
Rédaction de Noa-Noa *avec Charles Morice.*

Volpini, un café voisin de la Tour Eiffel. Là encore, les œuvres déchaînent le sarcasme et seul le critique Albert Aurier remarque ''une recherche intéressante par ce temps d'habileté et de trucage à outrance''. Les futurs nabis tombent sous le charme ; Maillol, Vuillard, Bonnard découvrent, comme Denis, qu'un tableau ''est essentiellement une surface plane recouverte de couleurs en un certain ordre assemblées''.

A Pont-Aven et surtout au Pouldu où Gauguin fuit la foule des touristes, va se développer un phalanstère où se succèdent des jeunes peintres attirés par cette Bretagne mystérieuse aux calvaires primitifs et par son barde prestigieux. ''Ce n'était pas une école, pourtant il en était le maître incontesté'' dira Maurice Denis. Ici se formulent des théories qui vont transformer radicalement l'art moderne, en particulier la doctrine des deux déformations, déformation ''objective'' qui s'appuie ''sur une conception purement esthétique et décorative'' écrit Denis, et déformation ''subjective'', fondée sur ''la sensation personnelle de l'artiste, son âme, sa poé-

L'atelier de la rue Vercingétorix.

Gauguin entouré de ses amis, rue Vercingétorix. Derrière lui, Annah sa maîtresse d'alors.

Février 1894
Héritage de 13 000 F.

1894
Vit avec "Annah la Javanaise".

Mai 1894
A Pont-Aven et au Pouldu.

25 mai 1894
Bagarre à Concarneau. Fracture de la cheville.

sie, mais aussi un certain sentiment de la nature''. Le droit au lyrisme, à l'exagération, la recherche de la naïveté, tout cela ''nous libérait de toutes les entraves''. Emile Bernard ajoute : ''Nous retournions à l'enfance, nous faisions la bête, et c'était alors sans doute ce qu'il y avait de plus intelligent à faire''.

A l'auberge de Marie Henry, les murs et plafonds se couvrent de décorations, ''enfantins bariolages mais aux tons si vifs, si particuliers, si joyeux'' racontera André Gide, que le jeune homme reste à dîner avec les peintres, ''tous trois pieds nus, débraillés superbement, au verbe sonore''.

A propos de Marie Henry, dite Marie Poupée pour son joli minois, naît une rivalité entre le maître et l'un de ses disciples, le jeune Hollandais

Meyer de Haan qui, quoique "*contrefait*", l'emporte dans le cœur de la belle et lui fait un enfant, avec l'intention de l'épouser. Marie Henry a accusé Gauguin d'avoir prévenu la riche et respectable famille du Hollandais qui lui coupa les vivres et le ramena au bercail avant que le mariage ait lieu.

Tantôt exubérant, grand enfant qui pousse des cris de sioux dans la campagne et trousse la servante, tantôt abattu, "*écorché aux ronces*" par les "*hurlements de Paris*", le cyclothymique Gauguin sombre souvent dans le désespoir, le doute, "*au point que je n'ose plus peindre et que je promène mon vieux corps par la bise*". Le désir de fuir, loin, fonder son "*atelier des tropiques*", le tenaille. Pourtant, dans ce site sauvage et romantique, entouré de ces jeunes gens dont il est persuadé que le talent finira par convaincre, il évolue à pas de géant, crée un nouveau langage, tour à tour barbare et sophistiqué, hiératique et habité. Albert Aurier saura y sentir "*l'émotion de l'âme qui frissonne*" et Octave Mirbeau "*un obscur et subtil symbolisme*".

Libéré de la nature, luttant avec la matière, il commence à attaquer l'impressionnisme, "*art purement superficiel*", n'en conservant que quelques recherches d'exécution, préoccupé dorénavant par un but unique : "*suggérer*", "*faire ressentir à l'œil d'un autre une impression indéfinie infinie*". Il le sait, cette "*voie symbolique est pleine d'écueils*", en particulier le risque de réduire à une allégorie, construction abstraite et intellectuelle, le symbole qui doit rester une expression spontanée, irrésistible, un langage de l'inconscient. Et il sait qu'ainsi, il se rend "*de moins en moins compréhensible*".

Va pour le symbolisme !

Depuis longtemps Gauguin voit dans le trait "*un moyen d'accentuer l'idée*", fidèle à l'intuition baudelairienne des "Correspondances", du rapport secret entre le visible et l'invisible. Stéphane Mallarmé lui aussi conseille de "suggérer au lieu de dire". Tout naturellement en somme, Gauguin trouve sa place dans les cercles anti-parnassiens et anti-naturalistes qui l'accueillent au Café Voltaire et à La Côte d'Or, à Paris, et le sacrent chef unique du symbolisme en peinture. Il acquiesce, ce qu'Emile Bernard et sa sœur ne lui pardonneront pas.

Depuis les années 1885, Paris vit une grande effervescence symboliste, avec la création de nombreuses revues comme "La Pléiade" ou "Le Mercure de France". Ce soulèvement déborde le cercle des littérateurs pour bientôt toucher le théâtre (Denis peindra les décors pour Ibsen), puis la musique (Debussy) et plus tard l'art décoratif (Gallé). L'heure est à la fois à la sacralisation de la sensation, avec le succès de Bergson, et aux sentiments libertaires. "On conspue la fusillade de Fourmies et l'interdiction de Lohengrin à l'Opéra d'une même voix" commente François Nourissier. Artistes et anarchistes sont également écœurés par la vénalité de la République opportuniste, son ordre sans noblesse, son confort bourgeois. Gauguin ne fait donc pas exception, pas plus que dans ses désirs de fuite. Maupassant déjà rêvait de grands départs, l'Orient fascine, Pierre Loti est à la mode. "Si Gauguin étonne, c'est par la violence, le passage à l'acte" dit Nourissier : "Lui est allé plus loin que ses contemporains, beaucoup plus loin."

Il a osé. Non sans souffrance. A la veille de son départ pour Tahiti, ce départ tant espéré, alors que les symbolistes l'ont fêté dans un banquet d'adieu et qu'il a obtenu une lettre de mission officielle, alors qu'il vient de vendre à Drouot pour 9 860 F de tableaux, il avoue à Charles Morice son désespoir de n'avoir pas su faire vivre sa famille, *"l'horreur du sacrifice que j'ai fait, qui est irréparable"*. Et il pleure : *"Je n'ai jamais été aussi malheureux."*

Les Guêpes

"Les Guêpes".

... au-dessus de ma tête la voûte céleste, aucune prison où l'on étouffe. Ma case, c'était l'espace, la liberté.

"*Là à Tahiti, je pourrai, au silence des belles nuits tropicales, écouter la douce musique murmurante des mouvements de mon cœur en harmonie amoureuse avec les êtres mystérieux de mon entourage. Libre enfin, sans souci d'argent, et pourrai aimer, chanter et mourir.*" Mais les incessantes tracasseries financières — les fonds qu'il attend fébrilement n'arrivent pas — mais la maladie qui, sous de multiples formes, ne le lâchera plus, mais la solitude et la nostalgie — "*j'avoue que ma mandoline est un rude compagnon ici où je suis seul.*" — teintent vite d'amertume son rêve "*d'extase, de calme et d'art*".

L'Océanie elle-même le déçoit, la "*trivialité européenne*" de Papeete, le triomphe de la "*civilisation, soldatesque, négoce et fonctionnarisme*" : "*C'est la Tahiti d'autrefois que j'aimais !*" Qu'importe, puisque "*espérer c'est presque vivre*", il poursuit obstinément son rêve. Et le trouve. Dans un paysage éblouissant de couleurs, "*au loin la mer, égayée de frêles pirogues, indolemment vites, que des jeunes gens dirigent, et leurs paréos bleus et blancs, et leurs poitrines cuivrées brillent dans la clarté de l'air*". Grâce au récit de voyages de Jacques-Antoine Moerenhout il reconstitue les mythes maoris, leur invente des idoles et des rites. Auprès des jeunes vahinés il découvre une morale dégagée de toute contrainte et des formes sculpturales qui lui seront une source d'inspiration inépuisable. Et des "*naturels*" dont il mène la vie, il admire la sagesse épicurienne.

"*Le Sourire*".

La Maison du Jouir et la sculpture du Père Paillard.

1901

Installe sa case, "La Maison du Jouir", à Atuana (La Dominique).

A Odilon Redon, il avait écrit avant de partir : *"Je juge que mon art n'est qu'un germe et j'espère là-bas le cultiver pour moi-même à l'état primitif et sauvage."* Les trésors qu'il ramène, *"soixante-six toiles plus ou moins bonnes et quelques statues ultra-sauvages"*, lui donnent raison, toutes imprégnées de son credo désormais inébranlable en faveur des arts primitifs, *"lait nourricier"*. Sans retenue, il a laissé parler *"ce malgré-moi de sauvage"* et quoiqu'affaibli par la maladie, il déclare revenir *"rajeuni de vingt ans, plus barbare mais aussi plus instruit"*.

Quelle bête existence que l'européenne vie !

En France, avanies et déceptions l'attendent. D'abord le directeur des Beaux-Arts, Roujon, refuse d'honorer les promesses d'achat de son prédécesseur : "Je ne saurais encourager votre art qui me révolte et que je

33

ne comprends pas.'' Ensuite à l'exposition chez Durand-Ruel les prix fixés au cours de Manet et de Renoir dissuadent les acheteurs ; les journaux en conseillent la visite ''pour amuser vos enfants''. Seul Mallarmé admire ''tant de mystère dans tant d'éclat'', et Mirbeau : ''l'œuvre de grâce suprême, de terreur profonde, d'ironie intellectuelle''. Sans l'héritage de l'oncle Zizi, Gauguin n'aurait pas échappé à la misère.

Déroute irrémédiable dont seuls le consolent quelques fidèles : Degas, Monfreid, Morice... Il s'en protège par ses rodomontades coutumières, une folle vie d'ivresse et de musique, et le souvenir embaumé de Noa-Noa, l'île odorante, qu'il recherche encore sur ses toiles.

En Bretagne, où Annah sa jeune maîtresse mulâtre soulève les quolibets des marins, il récolte dans une bagarre une fracture de la cheville dont les séquelles le poursuivront jusqu'à sa mort. D'autres déceptions l'attendent : son agresseur condamné seulement à 600 francs de dommages, qu'il ne paiera pas. Marie Henry, qui a gardé ses toiles peintes au Pouldu, gagne le procès qu'il intente. Annah pille son atelier de tous les objets vendables, ne laissant que ses œuvres. Le collectionneur danois à qui Mette a vendu ses Cézanne refuse sa proposition de rachat. La vente à Drouot, dont il attend les fonds nécessaires à son départ, ne lui laisse qu'un bénéfice de 1 430 francs. Une syphillis dont il ne guérira jamais tout à fait le cloue à Paris. Et il ne peint plus : pas une toile signée 1895. ''*Voyez-vous mes pauvres enfants il ne faut pas en vouloir à votre père, un temps viendra où peut-être vous saurez qu'il est le meilleur du monde.*'' Abattu par cette ''*défaite complète*'', il repart sans avoir revu sa famille. Et ''*sans espoir de retour*''.

Je ne suis rien sinon un raté.

A Papeete, ''*maintenant éclairée à l'électricité*'', Gauguin mène joyeuse vie : ''*Toutes les nuits des gamines endiablées envahissent mon lit ; j'en avais trois hier pour fonctionner.*'' Courte rémission. Après avoir dépensé sans compter, il recommence à faire des dettes, à attendre l'argent de France, qui ne vient pas. Ulcères et exzéma couvrent ses jambes, alcool et morphine ne suffisent plus à endormir ses douleurs. Le voilà à nouveau à terre ; ''*faible, à demi usé par la lutte sans merci que j'ai entreprise, je m'agenouille et mets de côté tout orgueil.*''

Acculé, il purifie son art, le dépouille des jeux de pochoirs et des effets exotiques faciles. Dans les toiles de la seconde période tahitienne, malgré les souffrances, il donne corps à une poésie inquiète, un mystère vivant, une humanité troublante.

L'annonce de la mort d'Aline, l'enfant en qui il se reconnaissait le plus, l'atteint profondément : ''*Sa tombe est ici près de moi ; mes larmes sont des fleurs, vivantes celles-là.*'' Il peint ''D'où venons-nous, que sommes-nous, où allons-nous ?'', la fresque qu'il considère comme son testament pictural, et tente de se suicider. Mais il vomit la trop forte dose d'arsenic. *"La mort qui délivre de tout''* n'a pas voulu de lui...

Sourire méchant qui fit pâlir bien des gens, méchantes gens.

"Trop découragé pour peindre'', — en 1900, il ne signe pas une toile — l'homme amer rongé de colères et exaspéré par la maladie se meut en Gulliver paranoïaque accablé par les nains. Déjà dans son essai sur l'Eglise catholique, il avait tenté de *"faire justice''* à *"l'imposture''*. Maintenant, il prend parti dans les querelles qui déchirent la communauté française de Papeete et met sa plume, dans "Les Guêpes'', au service du parti catholique contre le parti protestant, qui se disputent la majorité au conseil général.

Prenant goût à la polémique, il fonde son journal, "Le Sourire'', illustré de très intéressantes gravures. *"Je ne vous dis pas la vérité, tout le monde se vante de la dire. La Fable seule indiquera ma pensée, si toutefois Rêver est Penser.''* Dans la veine anarchiste, sa plume trempée au vitriol ne manque pas d'humour, ton sarcastique, souvent trivial. Mais, contrairement à la légende que Danielsson et O'Reilly n'ont détruite qu'en 1966 avec leur étude sur "Gauguin journaliste à Tahiti'', il n'a jamais pris la défense des indigènes et s'est contenté de régler ses comptes avec le gouverneur, l'administration, la bonne société de Papeete qui l'avait rejeté.

Cet élément tout à fait sauvage, cette solitude me donnera avant de mourir ce dernier feu d'enthousiasme qui rajeunira mon imagination et fera la conclusion de mon talent.

Aux Iles Marquises, Gauguin trouve, comme il l'espérait, *"avant de mourir, le dernier feu de l'enthousiasme''* et *"une certaine maturité dans mon art''*. Ses dernières toiles, dégagées de toute apparence exotique, atteignent à l'universel et à l'harmonie, comme si enfin la sérénité était venue avec la fin des illusions. *"Je regarde les fleurs, immobiles comme nous. J'écoute les grands oiseaux suspendus dans l'espace et je comprends la grande vérité.''*

8 mai 1903
Meurt à 11 heures du matin (crise cardiaque).

Juillet 1903
Vente aux enchères de ses biens à Atuana.

2 septembre 1903
Vente aux enchères à Papeete.

1906
Première grande rétrospective, avec 227 œuvres au Salon d'Automne.

Toujours plus isolé de la civilisation, il voit dans le Marquisien, *"anthropophage sans férocité"*, *"un homme intelligent incapable de ruminer une méchanceté"*. Les jambes entourées de bandelettes, presque nu, il ne peut pratiquement plus marcher. Il peint peu, écrit beaucoup, sur ses haines et ses admirations, contre la morale, *"ça ne changera rien mais ça soulage"*. Il boit du rhum avec le conteur-sorcier, joue de l'harmonium et abuse de la seringue. Grâce au contrat signé avec Vollard, il vit enfin hors de la misère et constate calmement : *"J'ai travaillé et bien employé ma vie."*

Mais il ne tarde pas à s'attirer les foudres de l'évêque et de la communauté catholique. A l'entrée de sa "maison du jouir", il a planté une sculpture du "Père Paillard" où Monseigneur Martin se reconnaît facilement (il se vengera par cette épitaphe : "artiste de renom, ennemi de Dieu et de tout ce qui est honnête"). Ses ennuis avec la maréchaussée, bien difficiles à démêler après des témoignages contradictoires, minent Gauguin pendant les derniers mois de sa vie. *"Toutes ces préoccupations me tuent"* seront les derniers mots de sa dernière lettre à Daniel de Monfreid, le seul ami qui lui soit resté absolument fidèle.

Après sa mort, sa case est saccagée, ses esquisses et ses ébauches de sculptures, jugées obscènes, jetées aux ordures, ses tableaux bradés : la vente aux enchères a été racontée par Victor Segalen qui réussit à sauver de la débâcle *"tout ce que j'ai pu saisir au vol"* : des dessins, des albums, les panneaux sculptés de la Maison du Jouir, quatre toiles. Pour un total de 188,95 francs. Toutes pièces aujourd'hui dans des musées.

IL N'EST D'ART QUE RÉVOLUTIONNAIRE

Quel adroit pasticheur je fais !

Ces admirations, Gauguin ne les a jamais cachées. Pour ses contemporains, chez qui il a appris avant de libérer son style : *"Si loin que soit la meule de foin, Pissarro sait se déranger, en faire le tour."* Cézanne, *"l'incompris, la nature essentiellement mystique de l'Orient"*, *"il joue du grand orgue constamment"*. Puvis de Chavanne *"m'écrase par son talent et l'expérience que je n'ai pas"*. Odilon Redon : *"Les rêves chez lui deviennent réalité par la vraisemblance qu'il leur donne"*. Et Degas, qui l'a jusqu'au bout encouragé : *"Dans tout cela il n'y a pas de motif, seulement la vie des lignes, des lignes, encore des lignes"*.

Et puis il y a les prédécesseurs. Ingres, *"une recherche de la beauté dans sa véritable essence, la forme"*. Manet, *"pour qui j'ai une admiration sans bornes"*. Delacroix : *"Rien que de la peinture, pas de trompe-l'œil."*

Et surtout, les anciens. Raphaël : *"Sa grâce est l'aisance de sa force"*. Giotto : *"Une immense fécondité de conception. Une tendresse, un amour tout à fait divins."* Rembrandt, *"un lion redoutable qui a tout osé"*, *"le magicien essentiellement prophète"*. Vélasquez, *"le tigre royal"*.

Chez tous, Gauguin a puisé, abondamment, et affermi sa haine de *"la prétendue science de la facture"*. Maintes fois il les a cités dans ses propres toiles : un motif copié, une esquisse derrière une nature morte ou un portrait. Mais il ne leur doit pas plus qu'à son exploration systématique des estampes japonaises, des fresques égyptiennes, des frises javanaises, des bouddha indiens, de la statuaire et des vitraux médiévaux, des arts décoratifs océaniens... Le recours au primitivisme, qui a si grandement contribué à l'art du 20e siècle, l'a armé pour lutter contre *"le dégoût et le découragement"* que lui inspirait *"l'étude du Grec"*. En lui, il trouvait de quoi répondre aux tenants de la perspective et de *"l'orthographe du dessin"*, autant qu'à *"l'abominable erreur du naturalisme"* et à l'art *"soi-disant raffiné"* qui se met au service de la nature au lieu de l'utiliser. *"La vérité, c'est l'art cérébral pur, c'est l'art primitif, le plus savant de tous."*

Partout, même chez des petits maîtres romantiques, Gauguin a copié des motifs, choisis pour leur pouvoir de suggestion, parce que leur forme s'harmonisait à sa conception, dans un processus de synthèse où l'ajustement entre l'idée et le motif se cherche. D'où cette continuelle reprise de thèmes et d'images qui exprime une recherche jamais satisfaite de la forme *juste*. *"Mon Dieu que c'est difficile la peinture quand on veut exprimer la pensée avec les moyens picturaux et non littéraires."*

Cette difficulté à formuler explique comment la production de Gauguin a pu être aussi inégale. Avant le voyage à la Martinique, il se permet bien parfois quelques hardiesses chromatiques, un contour cerné autour d'une paysanne, mais pour retrouver ensuite sa facture lourde et impersonnelle. Dès ses lettres du Danemark à Schuffenecker, il expose son programme de

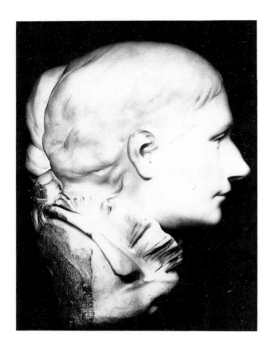

Mette Gauguin.
Buste de marbre, 1877.

peinture fondée sur la sensation, mais ne réussit à la mettre en pratique qu'en Bretagne cinq ans plus tard. Il n'atteint à la puissance dans la touche impressionniste, à Arles, qu'au moment où il sait devoir l'abandonner et n'obtient la plénitude lisse des toiles tahitiennes que pour mieux la bouleverser au cours de son second séjour en Océanie. Jusqu'au bout, il ne cessera de tâtonner et de remettre en question sa technique, tantôt emporté par ses facilités décoratives, tantôt alourdi par un souci de la signification qui éclipse sa sensibilité picturale. Au contraire de son évolution affective où il accumule les ruptures violentes, il crée par lente alchimie, amalgames successifs, à maintes reprises revient sur ses pas, comme en témoignent ses paysages marquisiens où il retrouve la touche oblique et frissonnante de ses sous-bois normands.

Pour moi il n'y a pas de chef-d'œuvre, si ce n'est l'œuvre totale.

Décorer : un art autrement abstrait que l'imitation servile de la nature.

Poursuivi par une hantise décorative, Gauguin s'entoure d'objets qu'il fabrique, peint le plafond chez Marie Henry, le verre des fenêtres dans son atelier de la rue Vercingétorix et, surtout, vit un canif à la main. Il sculpte. *"Des manches de poignards sans le poignard"* quand il est enfant. Des petits panneaux pour un meuble dès 1881, ses sabots en Bretagne, le moindre pilier de sa case à Tahiti... Sa technique, qui attaque franchement le bois à la gouge, et son inspiration brutale, créent une œuvre qui ne ressemble à aucune autre et dont l'originalité a convaincu nombre de sculpteurs après lui.

Tête de Meyer de Haan.
Sculpture sur bois de chêne.

Ses gravures, ses zincographies (dessins au crayon lithographique sur zinc), sortent elles aussi du *"sale métier ordinaire"*. Plus puissantes que ses peintures où il atténue l'étrangeté des formes. Avec elles, comme avec ses sculptures, il a prolongé son inspiration picturale, simplifié son dessin, primitivisé ses formes. Mais son œuvre décorative a aussi précédé ses réalisations de peintre. En lui permettant de concrétiser ses intuitions sur l'abstraction. En lui révélant des procédés qu'il transposait ensuite sur la toile. Ainsi des céramiques où il a testé les vertus du cloisonnisme, bien avant de rencontrer Emile Bernard, avec leur dessin élémentaire en creux rehaussé d'or, leurs personnages peints d'émaux luisants et cernés de traits sombres. Dans ses personnages de grès au grain grossier, mélange de trivialité et de fragilité, ornés de figures symboliques et de masques grimaçants, il s'est autorisé un grotesque qu'il s'interdisait en peinture par souci d'harmonie. Sculpteur, il aurait sans doute moins souffert, moins tâtonné. Mais s'il a préféré la peinture pour s'exprimer, c'est parce que d'elle il attendait de résoudre *"l'antinomie du monde sensible et de l'intellectuel"*.

La couleur étant énigmatique dans la sensation qu'elle nous donne, on ne peut logiquement l'employer qu'énigmatiquement.

La *"supériorité"* de la peinture sur les autres arts, Gauguin l'explique par sa capacité à traduire *"l'émotion qui s'adresse à la partie la plus intime de l'âme"*. Plus riche en sensations que la littérature, plus unifiée que la musique. Pourtant, c'est à la musique qu'il se réfère le plus volontiers: "*La couleur qui est vibration comme la musique atteint ce qu'il y a de plus général et partant de plus vague dans la nature, sa force intérieure.*"

La couleur, "*comme langage de l'œil qui écoute*". La couleur pure — "*il faut tout lui sacrifier*" — comme "*équivalent*" de la lumière. La couleur subjective, "*puisque la lumière vient en changer l'aspect à sa guise*". la couleur exagérée car indispensable pour donner "*la sensation d'une chose vraie*" sur "*une toile plus petite que la nature*" : "*Voilà la vérité du mensonge.*"

Ce précepte, Gauguin l'applique de même au dessin : "*Savoir dessiner ce n'est pas dessiner bien.*" De nombreux exemples le confortent dans cette voie, en particulier les estampes d'Hokusaï : "*dessiner franchement c'est ne pas mentir à soi-même*". L'artiste, à l'égal de Dieu, à l'égal de la Nature, doit créer. "*La nature a des infinis mystérieux.*" Tout est donc permis : "*La beauté est éternelle et peut prendre mille formes pour s'exprimer.*"

Gauguin a revendiqué "*le droit de tout oser*". Pour lui-même et pour les générations suivantes. Aussi est-il avec Cézanne et Van Gogh le père de la peinture moderne. Après lui, Picasso avec "Les Demoiselles d'Avignon" a trouvé la clé des déformations qui lui ont permis de rompre définitivement avec les canons gréco-romains. Matisse et Kandinsky ont reconnu eux aussi avoir été, grâce à Gauguin, encouragés à enfreindre les limites dont ils auraient pu devenir esclaves. Et il faudrait citer Maillol, Bourdelle, Giacometti... Par le caractère multiforme de son talent, Gauguin a ouvert les voies qui ont conduit au cubisme comme au fauvisme ou au surréalisme. "Le courant plastique qui cherche en lui-même sa définition", "le courant expressionniste ou la capacité de susciter les émotions", "le courant surréaliste ou l'art comme exutoire de l'inconscient"... René Huygue qui résume ainsi la force d'explorateur de Gauguin lui donne également une autre zone d'influence, et non des moindres : "Il a été un des premiers artistes à avoir pensé leur art."

"Il y a quelque chose de lui chez tous les jeunes de ce temps" jugeait Charles Morice en 1919. La tradition s'est perpétuée. Gauguin ne parlait-il pas d'un "*art sans fin*" ?

Il reste encore beaucoup à trouver.

"Joie de Bretagne".
*L'une des incographies réalisées
sur les conseils de Théo Van Gogh
"pour me faire connaître".
Et pour le catalogue de
l'exposition Volpini en 1889.*

LA TECHNIQUE

LES RECHERCHES

Avant 1888, Gauguin n'a pas encore trouvé ce qui sera sa manière originale de peindre. On sent donc encore ici l'influence d'autres techniques, comme celle de l'impressionnisme ou de l'art de Cézanne qui vont servir ses recherches profondes.

LA CONSTRUCTION
VISION ANALYTIQUE

PERSPECTIVE
Toujours présente, mais n'est plus déterminée au moyen d'une rigoureuse composition.

Elévation de la ligne d'horizon.	Les lignes de la table.	①
	Le montant.	②
	Le reflet dans le miroir conduisent l'œil vers le haut de la composition	③

Angle de vue inhabituel.

Orientation oblique des axes de composition.	Les lignes de la table situent le point de fuite vers la gauche du tableau.	①
Assymétrie.	La partie droite moins dessinée, attire moins le regard.	
Contraction de l'espace.	Personnage coupé par le bord du tableau.	

DESSIN
Deux tendances.

Imprécis ou disparaissant au profit de la couleur.	Fond et particulièrement reflet.	④
Incisif, définissant des formes à la solidité concrète au moyen d'un cerne noir.	Contour du visage,	⑤
	de la sculpture,	⑥
	des fruits.	⑦

LA COULEUR

CHOIX

Couleurs pures primaires.	Rouge	1
	Bleu	2
Couleurs pures binaires : mélange de deux primaires et complémentaires de la troisième.	Vert Veronèse : mélange de bleu + jaune et complémentaire du rouge.	3
Couleur ayant absorbé toute lumière.	Noir	4
Teintes intermédiaires : dégradation de couleurs primaires ou binaires.	Obtenues avec le blanc	5
	Obtenues avec le ton de la toile	6

UTILISATION

Juxtaposition des complémentaires donne l'intensité.	Vert et rouge.	7
Ombres colorées.	Pomme rouge donne ombre verte.	8
Touche fragmentée en taches colorées juxtaposées puis se dissociant, donne multiples virgules enchevêtrées.		9
Liberté d'exécution pour exprimer le scintillement du reflet.		10

42

Nature morte au portrait de Laval, 1886.
Huile sur toile, 46×38 cm.

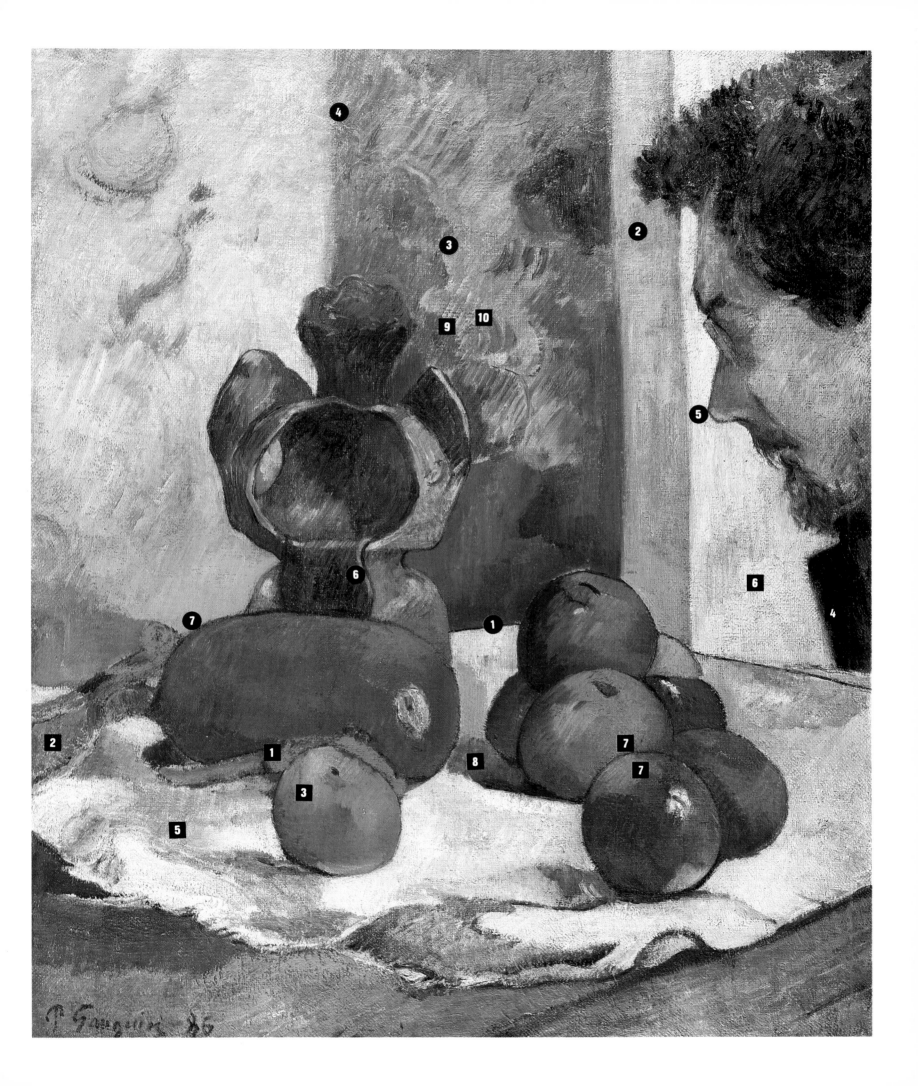

LA RÉVÉLATION

C'est avec *La vision après le sermon* (1888), que Gauguin se libère des acquis d'autres mouvements picturaux, pour élaborer un art personnel, avec toute la verve d'un artiste qui vient de trouver sa manière de peindre.

LA CONSTRUCTION
VISION SYNTHÉTIQUE

ABANDON TOTAL DE LA PERSPECTIVE TRADITIONNELLE

Simple juxtaposition des plans solidifie la composition.	Les fleurs,	①
	le personnage,	②
	les fruits,	③
	le fond.	④
Vision immédiate du sujet dans les limites du cadre.	Tous les éléments représentés sont coupés par les bords du tableau.	⑤
Absence d'horizon.	Neutralité du fond rouge.	
Raccourci de la composition.	Gros plan sur la main.	⑥
Vue plongeante.	On voit le sommet de la tête. Regard du personnage vers le bas.	

DESSIN

Grande simplification des traits donne : formes stylisées.	Main d'aspect raide.	
force expressive.	Traits du personnage.	⑦
Cernes noirs ou blancs.	Silhouettent les figures.	⑧
Volutes décoratives apposées fermement en coup de fouet et formant arabesques décoratives.	Tiges des fleurs.	
Cloisonnement obtenu par traits entre couleurs vives.		⑨

LA COULEUR

CHOIX

Palette réduite : couleurs primaires. Tonalités renforcées : couleurs saturées.	Vermillon et jaune de chrome.	

UTILISATION

Couleurs pures franchement apposées en surfaces monochromes.	Toile couverte. Touche peu visible sous vermillon et jaune.	
Couleurs en larges aplats : absence de modelé.	Fleurs,	1
	Main.	2
Contraste de la couleur en soi : opposition des couleurs primaires accentuée par le cerne.	Intensification du vermillon et du rouge.	
Teintes intermédiaires, avec jaune et rouge + blanc ou noir, donnent seul modèle.	Brun de la chevelure,	3
	Rose du visage.	4
Disparition du papillotement = touches longues, larges, posées sans lever le pinceau.		5

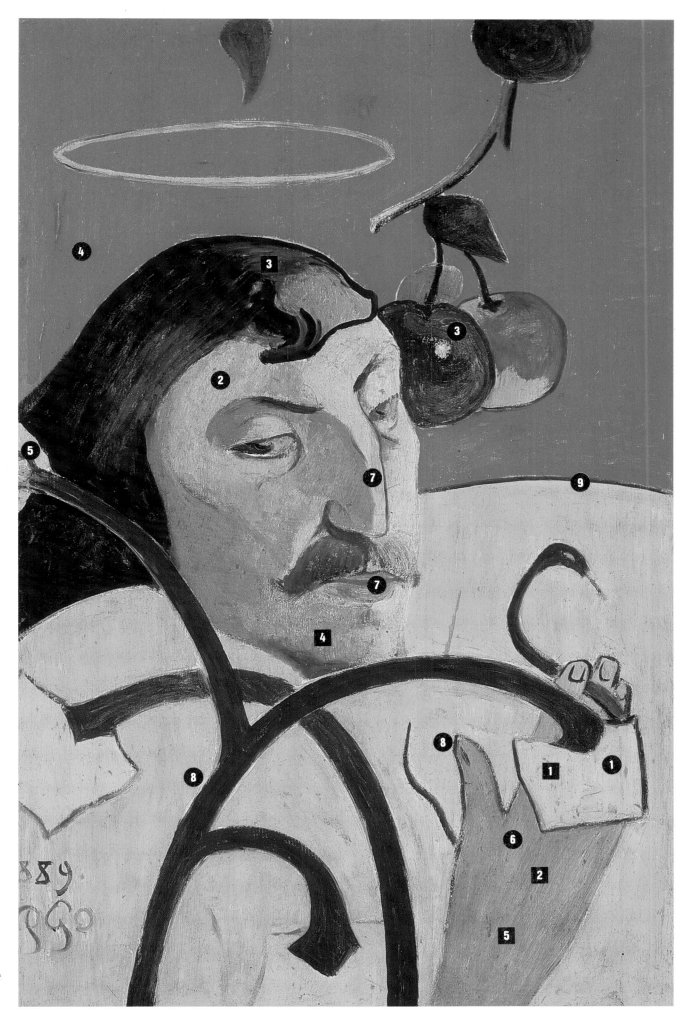

*Autoportrait
au halo et au serpent,* 1889.
Huile sur bois, 80×52 cm.

LA MATURITÉ

Au fil des années, Gauguin sait maîtriser sa vigueur et, riche d'une technique assimilée et d'une originalité épanouie, il peut repenser son art en termes d'harmonie dans la lumineuse île de Tahiti.

Equilibre par les trois personnages assis qui centrent la composition dans un triangle.

Clarté du fond attire l'œil. ①

| Dégradé des tons du premier plan vers le fond. | Par exemple : Orangé foncé, | ② |
| | Orangé clair. | ③ |

| Vision élargie du sujet. | Les pieds des personnages et les bases des arbres situent l'espace. | ④ |
| | | ⑤ |

| Mais légère contraction de l'image conservée. | Deux personnages restent coupés par le bord de la toile. | ⑥ |

| Axes de composition obliques et montants. | Par la position des personnages en frises. | ⑦ |

Toujours pas de ligne d'horizon.

PERSPECTIVE

Même si elle n'est pas rigoureusement construite, réapparaît selon certains axes. Cependant la juxtaposition des plans demeure.

LA CONSTRUCTION
VISION ANALYTIQUE ET SYNTHÉTIQUE

| Simplification raisonnée : à la stylisation succède un hiératisme adouci. | Les deux figures frontales. | ⑧ |

| Cerne très fin et étudié qui maintient les formes dans leurs limites essentielles. | | ⑨ |

| De nouveau flou parfois. | Feuillages. | ⑩ |

| Goût pour les arabesques décoratives plus discrètement formulé dans les végétaux. | | ⑪ |

Ligne perd sa tension agressive.

DESSIN

CHOIX

Couleurs primaires, toujours avec dominante de rouge et de jaune.

LA COULEUR

C'est là qu'intervient le changement fondamental.

Fragmentation des touches juxtaposées réapparaît dans les fonds.	1
Choix de tonalités dégradées.	2
Nuances riches, mais ne couvrant que peu la toile.	3
Teints olivâtre ou brun-jaune.	4
De nouveau ombres colorées et donc modèle.	5

UTILISATION

Les couleurs pures, utilisées différemment, perdent leur saturation vive, mais gardent leur intensité, comme irradiées par une vive lumière.

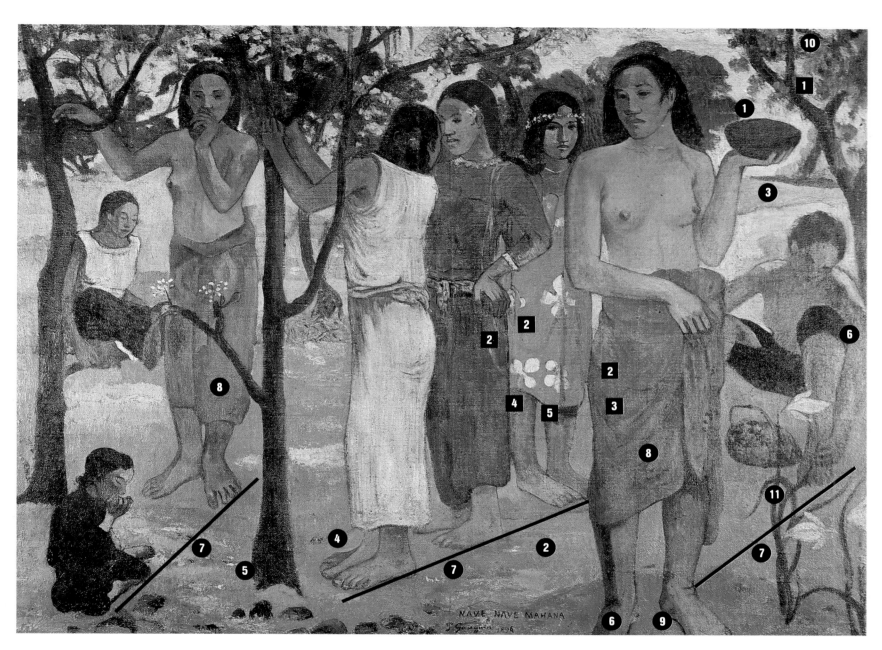

Nave nave Mahana, 1896.
Huile sur toile, 94×130 cm.

GAUGUIN, EXPLORATEUR DE L'INCONNU

Reconnu par tous comme un grand coloriste, Gauguin est aussi un maître du symbole, souvent oublié pourtant. S'il a si largement ouvert la voie aux surréalistes, aux fauves et aux cubistes, c'est pour avoir exploré cette terre restée inconnue jusqu'au début du vingtième siècle, un monde peuplé de mythes, de sensations, de signes. Dans l'art primitif, il a le premier retrouvé la trace explicite du sacré, ce noyau universel, et grâce à ce retour aux racines, à l'enfance de l'humanité, il a matérialisé le bouillonnement de ses pulsions intérieures. Sans doute parce que, grâce à ses maîtres, il a transgressé les règles imposées par l'académisme et, plus loin que les impressionnistes, Cézanne et Van Gogh, su lever les interdits.

Peu d'artistes ont comme lui, même parmi les surréalistes, donné forme à l'inconscient. L'inconscient et ses brutalités, ses perversités érotiques, ses désirs de pouvoir et sa vitalité. L'inconscient et son aspiration à l'élévation de l'âme, ses liens millénaires avec les dieux et les anges, ses dialogues avec le cosmos.

Dans son œuvre domine d'abord la figure de la femme. Victime de la vie et des hommes dans ses premières toiles, Eve délicieuse au regard fuyant dès l'arrivée à Tahiti, Grande Déesse de vie et de mort à partir de 1892. Avec une intuition qui apparaît aujourd'hui stupéfiante, Gauguin décrit la dualité de la nature féminine, sa soumission et sa puissance, sa tendresse enfantine et sa dureté, son indifférence... Toute cette complexité dont nous connaissons les fondements mythologiques grâce aux ethnologues, aux psychanalistes et aux féministes du vingtième siècle.

Liée intimement à la Femme, la Nature. La luxuriance connue dans les jeunes années péruviennes reste pour Gauguin symbole d'abondance et de sécurité. Très tôt, il exprime son rêve édénique, un Eden souvent triste, étouffant. Mais un vrai paradis dès qu'il y rencontre le bon sauvage et confirme son intuition sur le caractère sacré de la nature que règne végétal et règne animal doivent matérialiser sur la toile.

Les animaux, les arbres, les fleurs et les fruits, toute cette vitalité à laquelle il n'a jamais cessé de se ressourcer, Gauguin les habille de mystère. Et au fond, son œuvre entière paraît poursuivre une quête obstinée de l'Inconnu, du rêve et des signes, des mythes et de leurs symboles.

Ainsi surgissent trois thèmes, à travers lesquels pourrait s'exprimer toute la recherche de Gauguin, trois thèmes qui permettent de suivre l'évolution, au fil des années, le développement et les transformations de son travail : Femmes, Paradis, Mystère, dont les figures emblématiques ne cessent de se mêler, de s'épauler mutuellement, pour construire le langage d'un créateur complexe, foisonnant, habité.

Impuissant à s'abandonner tout à fait aux émotions qui le traversent, impuissant aussi à les dominer pour maîtriser sa confusion, Gauguin nous livre une vision éparse du monde, *"sans suite comme les rêves, comme la vie, toute faite de morceaux"*.

L'ŒUVRE PEINT

A LA RENCONTRE
DE LA DÉESSE MÈRE

*L'Eve de votre conception civilisée vous rend et
nous rend presque tous misogynes. L'Eve ancienne
qui, dans mon atelier, vous fait peur pourrait bien
un jour vous sourire moins amèrement.*

En quête de l'image de femme divine qui devra attendre la révélation des mythes
océaniens pour se matérialiser, Gauguin cherche. Ses premières femmes sont à la
fois brutes, mal dégrossies et souffrantes. Puis vient la vahiné, inconsciente de la
souillure, avec ses "dehors de franchise, d'évidence" et son "âme secrète". Ainsi
l'Eve coupable ouvre la voie à l'Eve tendre, dont les gestes enfantins et grâcieux
cachent la vestale au visage dur. "Idole et prêtresse d'un culte défunt", gardienne
du monde, elle est la manifestation humaine de la Grande Déesse, Mère de la terre,
de l'eau et de la lune, reine des forces instinctives, déesse de vie mais aussi de mort.
Cette figure dévoratrice, cette force assoiffée des sacrifices nécessaires à la renaissance, Gauguin la peint sous les traits de l'Idole, puis d'Oviri. A Oviri, il tentera
de s'identifier. Mais le mystère lui restera inatteignable. Tout comme lui restera intou-
chable la femme maorie : "*Elle se laisse posséder mais ne se livre pas.*" Et s'il finit
par l'accepter dans ses derniers portraits de femmes, c'est avec une bouleversante
nostalgie.

*Elle est bien subtile, très savante dans sa naïveté,
l'Eve tahitienne. L'énigme réfugiée au fond de ses
yeux d'enfants me reste incommunicable.*

Etude de nu, ou *Suzanne cousant.*   1880

Huile sur toile (115 × 80)
Signé ''Gauguin 1880'' en haut à gauche
Ny Carlsberg Glyptotek, Copenhague

J'aime les femmes aussi, quand elles sont vicieuses et qu'elles sont grasses : leur esprit me gêne, cet esprit trop spirituel pour moi.
J'ai toujours voulu une maîtresse qui fut grosse et jamais je n'en ai trouvé. Pour me narguer elles sont toujours avec des petits.

(Avant et Après, 1903)

Aussi provocatrice que soit la révélation, elle avoue un goût pour les femmes maternelles que Gauguin, il est vrai, n'a jamais cherché à satisfaire... Femme meurtrie, au corps déformé, aux occupations prosaïques, Justine, la bonne des Gauguin, rebaptisée Suzanne pour l'occasion, n'est certes pas un de ces ''mannequins pesés par un soi-disant bon goût'' qui déplait à Huysmans : l'écrivain remarque l'œuvre à la sixième exposition impressionniste, en 1881, et salue l'auteur de ''l'intrépide et authentique toile'' pour être le premier des peintres modernes à travailler le nu avec ''une note aussi véhémente dans le réel''.

''Encore tout bleu du coup d'encensoir jeté à travers la figure'', Gauguin goûte modérément l'éloge, regrettant que la ''littérature'' de sa femme nue ait plus inspiré le critique que sa ''peinture''. Alors impressionniste de façon très militante, par choix esthétique et surtout par rejet de l'ordre académique (''moi, un Impressionniste, c'est-à-dire un insurgé''), il est dans toutes les toiles de cette période fidèle à la facture de son maître Pissarro. Mais avec ici un vérisme à la Courbet et quelques touches plus personnelles dans le décor, son ambiance orientaliste, la teinte violine qu'il affectionne, intermédiaire entre un bleu mystérieux et un rouge de lumière. Et la mandoline, qui reviendra dans d'autres toiles (en particulier la *Nature morte à la mandoline* de 1885) : l'instrument, dont il jouait bien aux dires de ses amis, l'accompagna jusqu'à Tahiti.

Les Quatre Bretonnes.   Vers 1886

Huile sur toile (72 × 91)
Signé "P. Gauguin 86" en bas à gauche
Neue Pinakothek, Munich

Je ne peins qu'avec des martres, la couleur reste ainsi plus épaisse ; quand vous vous servez de brosses ordinaires, deux couleurs voisines se mélangent ; avec des martres, vous obtenez des couleurs juxtaposées.

(Rapporté par le peintre Delavallée)

Peinte avant la rencontre avec Emile Bernard et ses *Bretonnes dans la prairie verte*, cette toile malgré le souci impressionniste d'atténuer les formes par la lumière, dénote déjà les préoccupations de synthèse de Gauguin : simplification du dessin, emploi de couleurs pures et épaisses qui laissent peu de place à la transparence ; le contour marqué des coiffes, surtout, annonce le parti plus incisif qu'il tirera de ces architectures bretonnes, à la fois simples et complexes, dans sa période synthétique.

A partir de ces figures, toutes étudiées dans son carnet de croquis, il réalise à la même époque un vase en céramique révélateur de l'usage qu'il va bientôt faire du cloisonnisme : le dessin y est très stylisé, les surfaces monochromes soulignées d'un trait en creux rehaussé d'or et les branches nues des arbres projettent de fines arabesques dans la manière de ses œuvres futures.

Dans son carnet, Gauguin dénonce le mélange des couleurs, qui "donne un ton sale". Sa technique est pourtant encore très proche de celle de Pissarro, fortement zébrée. Remarquable par sa densité, la composition s'inspire des mises en page japonaises : absence d'horizon, perspective plongeante accentuée par le mouvement de la paysanne enfilant son sabot.

Par erreur, ce tableau a souvent été intitulé *Danse des quatre Bretonnes* alors qu'il s'agit d'un conciliabule de paysannes s'offrant un instant de repos, les oies à garder n'étant pas loin : avant Tahiti, les femmes vues par Gauguin restent astreintes au travail, à de très rares exceptions près.

Madeleine Bernard.   1888

Huile sur toile (72 × 58)
Signé en haut à droite : "P. Gauguin 88"
Musée de peinture et de sculpture, Grenoble

A défaut de peinture religieuse, quelles belles pensées on peut évoquer avec la forme et la couleur... Nous seuls voguons sur le vaisseau fantôme avec toute notre imperfection fantaisiste. Comme l'infini nous paraît plus tangible devant une chose non définie. Les musiciens jouissent de l'oreille, mais nous avec notre œil insatiable et en rut, goûtons des plaisirs sans fin.

(Lettre à Schuffenecker)

Gauguin est amoureux. Emile Bernard est à Pont-Aven, accompagné par sa sœur Madeleine, âgée de 17 ans, cultivée, pieuse et exaltée. Gauguin lui parle de sa "tendresse fraternelle et désintéressée", lui offre des céramiques, dont une tête de lui en sauvage, mais ne trompe guère la mère qui lui interdit de voir sa fille. A celui qui avoue "pour dire je t'aime il faudrait que je m'arrache toutes les dents", Madeleine préférera le jeune Charles Laval, intellectuel et délicat, qu'elle épousera ; ils mourront tous deux de tuberculose.

Mais en cet été 1888, rajeuni par la passion, Gauguin exulte et peint ce portrait qu'Emile Bernard juge "peu ressemblant mais très intéressant quant au style" (lui-même réalise la même année un portrait d'elle, aux traits plus doux et enfantins). Ironique, songeuse, la douce et pure jeune fille apparaît ici femme, envoûtante. Avec ce regard oblique qui semble juger et ces violentes taches rouges accordées au bleu vibrant de la robe et des pantoufles, le tableau trahit bien l'état d'âme du peintre, son désir, son style de plus en plus expressionniste. Hommage à Degas, aussi, dont on devine sur le mur un dessin de danseuses et qui conseillait : "une peinture demande un certain mystère, du vague, de la fantaisie".

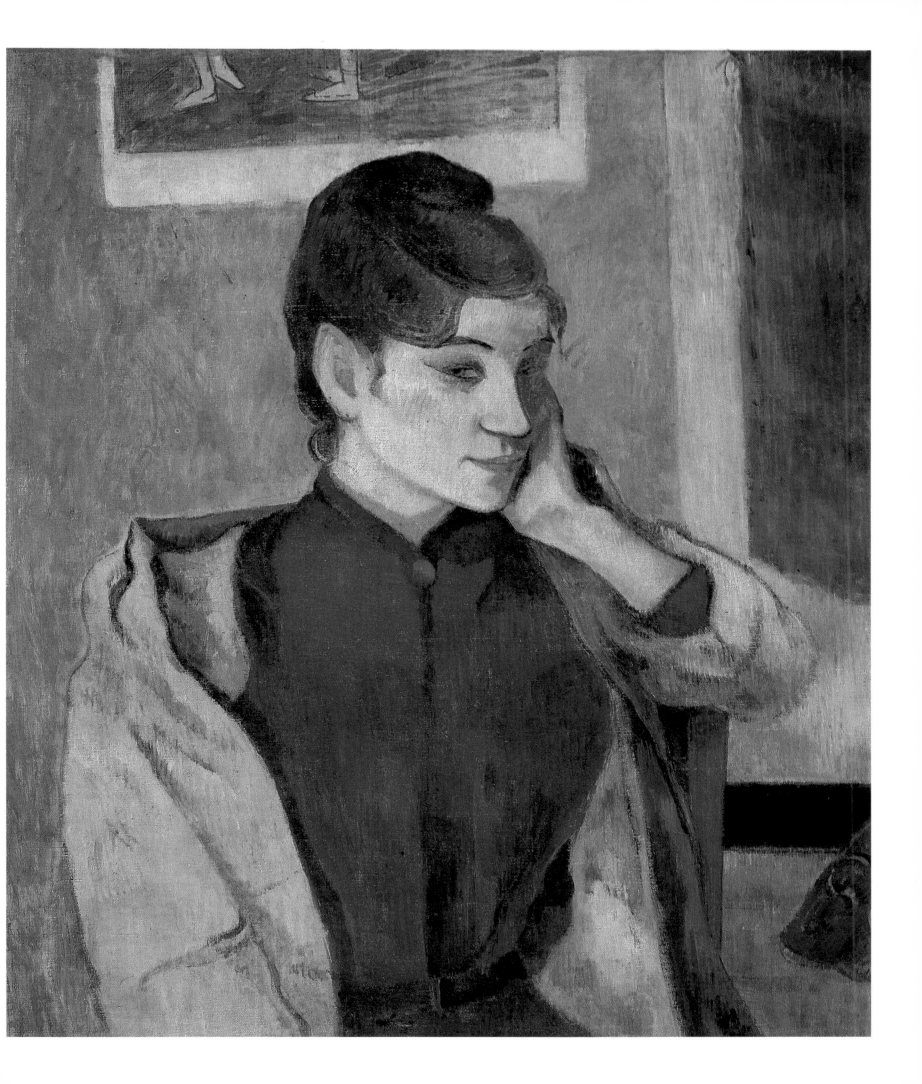

La Belle Angèle (Portrait de Madame Satre).   1889

Huile sur toile (92 × 72)
En bas à gauche : "La Belle Angèle / P. Gauguin 89"
Musée d'Orsay, Paris

Pourquoi embellir à plaisir et de propos délibéré ? Ainsi la vérité, l'odeur de chaque personne, fleur ou arbre, disparaît ; tout s'efface dans une même note de joli qui soulève le cœur du connaisseur. Ce n'est point à dire qu'il faille bannir le sujet gracieux, mais il est préférable de rendre tel que vous voyez que de couler votre couleur et votre dessin dans le moule d'une théorie préparée à l'avance.

(Texte de 1888, Pont-Aven)

"Quelle horreur !" s'écrie la Belle Angèle lorsque Gauguin lui révèle ce portrait où elle apparaît, il est vrai, hostile, obstinée, dénuée de sensualité et d'intelligence. Deux ans plus tard à Tahiti, le peintre représentera *Suzanne Bambridge* avec la même brutalité, nez rouge et traits bovins, et son "modèle" refusera de le payer avant de cacher l'objet dans un placard à balais. Angèle Satre ne réagit pas mieux et son mari, futur maire de Pont-Aven, jette Gauguin dehors malgré ses protestations d'innocence ; "Il était très triste et il disait qu'il n'avait jamais réussi un portrait aussi bien", a raconté à Charles Chassé la cabaretière, peu sensible à la forte écriture de ce tableau où Gauguin révèle sa maîtrise et son autorité, une touche libérée, grâce à l'influence de Cézanne, une composition très originale.

Ce visage de "jeune vache mais avec quelque chose de si frais et de si campagne que c'est bien agréable à voir" rappelle à Van Gogh la mise en page des "crépons japonais". Il évoque aussi les vitraux du moyen-âge, par le procédé du médaillon, le chromatisme, ce bleu largement étalé. Par le jeu du double champ, Gauguin juxtapose deux mondes qui ne peuvent communiquer : la femme semble exclue du monde idéal symbolisé par le décor floral et l'idole péruvienne. Au contraire, les toiles tahitiennes, en particulier *Ia Orana Maria*, témoigneront d'une interpénétration entre les êtres humains et l'univers sacré. La femme alors incarnera la Nature, authentiquement divine et non plus supersticieuse.

Le tableau a été acheté 462 F à la vente de février 1891, par Degas qui disait de Gauguin : "un garçon qui meurt de faim et que j'admire profondément comme artiste". Puis 3 200 F lors de la vente de la collection Degas en 1918, par Ambroise Vollard, qui en fit don au Louvre en 1927.

Dans le foin (En pleine chaleur ou Les Cochons).   1888

Huile sur toile (73 × 92)
Signé en bas à gauche : ''P. Gauguin 88''
Collection Niarchos

Ces deux dernières toiles (Les Cochons et La Pauvresse) sont, je crois, assez mâles, mais dira-t-on un peu grossières, est-ce le soleil du Midi qui nous met en rut ? Si elles devaient effrayer l'amateur ne craignez pas de les mettre de côté, moi je les aime.

(Lettre à Théo van Gogh, novembre 88)

''Calmez-vous, mangez bien, baisez bien, travaillez dito et vous mourrez heureux'' conseille alors Gauguin au ''bon Schuff''. Ce faisant, il tente de forcer sa nature, moins gaie et plus complexe. En témoignent ces *Cochons* (titre initial) dont le sens sexuel n'échappe à personne. Mais une sexualité assez macabre : forme noire imprécise (un chien et son collier ?) et posture lascive de la femme, inspirée de la scène de flagellation peinte par Delacroix, *La Mort de Sardanapale*. Qu'elles soient nues ou vêtues, Gauguin aime représenter les femmes de dos, par exemple *Les Baigneuses* (1885), frigorifiées dans une mer verte, ou *Ondine* (1889). Le foin donne ici une note plus charnelle, dépourvue cependant du vérisme campagnard si fréquent chez les artistes qui ont représenté des meules (Gauguin lui-même a sacrifié à ce thème courant avec *Les Faneuses* ou *Les Meules de foin*, en 1889).

Vue de dos, la femme s'offre aux regards voyeurs, peut-être même pervers si on en croit la référence à Delacroix. Mais l'image avoue aussi les frustrations du peintre. Avec la femme, chair étrangère, il ne communique guère, déchiré entre des appétits que la morale bourgeoise réprouve et un rêve d'amour fraternel que son échec auprès de Madeleine Bernard vient d'anéantir à jamais.

Soyez mystérieuses. 1890

Bois de tilleul polychrome (73 × 95)
Signé en bas à droite : "P. Gauguin 90"
Musée d'Orsay, Paris

La vérité c'est l'art cérébral pur, c'est l'art primitif, le plus savant de tous. Dans notre misère actuelle, il n'y a de salut que dans le retour raisonné et franc au principe.

(Rapporté par Charles Morice)

Voilà le primitivisme d'un civilisé, qui a entrepris depuis le Pouldu, où il réalise ce bois, un voyage vers l'élémentaire, le primordial, voyage qui va bientôt l'entraîner en Océanie où il répétera : "Ayez toujours devant vous les Persans, les Cambodgiens et un peu l'Egyptien. La grosse erreur c'est le Grec, aussi beau soit-il".

Gauguin a appris à "dessiner franchement", à "se servir de locutions picturales qui ne trompent pas sa pensée". Et la sculpture l'a grandement aidé à préciser son style, synthèse entre barbarie, symbolisme et effet décoratif, qui va influencer directement Maillol, Matisse, Derain, et annonce l'art nouveau. Ainsi les volutes japonisantes qui couvrent la moitié de ce bois ou du graphisme du "Soyez mystérieuse".

Le message renvoie à un autre bois exécuté un an auparavant, *Soyez amoureuses, vous serez heureuses*, œuvre plus littéraire où l'autoportrait tourmenté, la pauvresse recroquevillée et le grand nu au corps flétri, semblent contredire amèrement le titre. Ici, Gauguin parvient à une maîtrise souveraine dans l'exécution : virtuosité technique de la taille directe, richesse de la polychromie où dialoguent le fond teinté et les motifs cirés laissés en réserve. Maîtrise aussi dans le thème où transparaissent des intuitions, sans doute encore inconscientes, sur le rapport de la femme au sacré : simplicité du visage et du geste de la figure énigmatique qui évoque les Saintes femmes des calvaires bretons. Et surtout perfection du nu central, un des plus beaux dos de la sculpture mondiale. En "amateur" qui pratique sans formation académique, Gauguin rompt avec les lois néo-classiques, invente une frontalité inversée, un nouveau rythme, des canons anatomiques différents. Ce nu, dont la couleur ambrée et le profil aux traits simiesques soulignent l'exotisme, Gauguin l'avait déjà repris depuis *Dans le foin*, pour *Ondine*, toile de 1889, et *Aux roches noires*, zincographie du catalogue de l'exposition Volpini. Il reviendra dans *Fatata te miti* (Près de la mer) en 1892, forme tahitienne d'un corps heureux, libéré du sado-masochisme et de la souffrance qu'exprimaient ses prédécesseurs.

Misères humaines (Vendanges à Arles ou La Pauvresse).   1888

Huile sur toile (73 × 92)
Signé en bas à droite : "P. Gauguin 88"
Musée d'Ordrupgaard, Copenhague

J'ai fait dito de chic une pauvresse bien ensorcelée en plein champ de vignes rouges.

(A Théo van Gogh, novembre 1888)

Le tout fait au gros trait rempli de tons presques unis avec le couteau très épais sur de la grosse toile à sac. *C'est un effet de vigne que j'ai vu à Arles. J'y ai mis des Bretonnes : tant pis pour* l'exactitude. *C'est ma meilleure toile de cette année.*

(A Emile Bernard, novembre 88)

"N'est-ce pas plutôt l'intensité de la pensée que le calme de la touche que nous cherchons" écrivait alors Vincent dont l'influence se fait ici nettement sentir, esprit expressionniste et technique de la pâte au couteau. Pourtant, à Arles, le style de Gauguin s'affirme de façon décisive, celui de "la couleur suggestive des formes" et de "la parabole".

L'équation femme-nature commence à s'imposer, non sans complexité : "Les deux mains sous le menton elle pense à peu de choses, mais sent la consolation de cette terre (rien que la terre) que le soleil inonde dans les vignes avec son triangle rouge. Et une femme habillée de noir passe qui la regarde comme une sœur." De la toile se dégage une sensation de douleur, figures noires symboliques de deuil, visage souffrant de la "pauvre désolée" (on le retrouve lorgnant avec envie une coupe de fruit dans une nature morte de 1888 et dans l'*Eve bretonne*) qui médite peut-être sur la perte de sa virginité, à en croire des versions ultérieures où la présence du mâle trompeur ou du serpent annonce le thème de la chute que Gauguin reprendra de nombreuses fois, jusqu'à l'*Adam et Eve* de 1902. L'Eve en posture de momie va bientôt se redresser, se dénuder, se dégager de la culpabilité qui, avant Tahiti, continue à peser sur elle.

Eve bretonne. 1889

Pastel (33 × 31)
Signé en bas à droite : "P. Gauguin 89"
Marion Koogler McNay Art Institute. San Antonio, (Etats-Unis)

Je n'ai jamais su faire un dessin proprement. Il me semble qu'il manque toujours quelque chose : la couleur.

(Avant et Après, 1903)

Ce pastel, exécuté pour le catalogue de l'exposition Volpini, est très représentatif d'une double recherche : stylisation par laquelle Gauguin renoue avec les traditions primitives, et symbolisme des couleurs qui, par le jeu des complémentarités et des oppositions, évoque ici le débat intérieur de cette Eve en proie à la tentation, prête à la repousser.

Cette figure, directement inspirée d'une momie péruvienne dont Gauguin fait une esquisse en 1888 et que la pauvresse de *Misères humaines* évoque déjà, revient à de nombreuses reprises en 1889 : un pastel équivalent à celui-ci, la zincographie *Aux roches noires*, le bois *Soyez amoureuses...* et une toile, *Femmes se baignant* parfois intitulée *La Vie et la Mort*. Elle est alors l'Eve souffrante, en but à l'hypocrisie de la morale chrétienne que Gauguin dénonce dans son pamphlet de 1897, *L'Esprit moderne et le catholicisme* : "la femme qui après tout est notre mère, notre fille, notre sœur, a le droit de gagner son pain. A le droit d'aimer qui bon lui semble. A le droit de disposer de son corps, de sa beauté. A le droit à l'estime aussi bien que la femme qui se vend en mariage seulement".

C'est que, à Tahiti, Gauguin a rencontré une femme ignorante du péché originel. Et lorsqu'il reprend ce motif recroquevillé, ce n'est plus comme une figure de victime, prisonnière d'une fatalité morale, mais comme une représentation de la mort, dans *Arii Matamoe*, tête de prince canaque défunt gardée par des femmes (1892) et dans *D'où venons-nous...*, vieille momie noire aux cheveux blancs. Elle s'oppose alors à Hina, déesse de vie, dans une dualité qui traverse en leitmotiv toute l'œuvre polynésienne de Gauguin.

Femme sous un arbre.   Vers 1890

Céramique (H : 0,13)
Signé en bas à droite du côté face : "P Go"
Dépôt du Musée des arts africains et océaniens au Musée d'Orsay, Paris

Transformer l'éternel vase grec (...), remplacer le tourneur par des mains intelligentes qui puissent communiquer au vase la vie d'une figure, tout en restant dans le caractère de la matière, dans les lois de la géométrie, fût-ce même de la géométrie gobine.

(Article pour *Le Soir*, 1895)

Gauguin a la chance de rencontrer dès 1886 Ernest Chaplet, grand nom de la céramique dont les grès de grand feu retrouvent les anciens secrets de fabrication et ouvrent la voie aux recherches d'une nouvelle génération, à la renaissance d'un art en pleine décadence. Avec enthousiasme et grâce à cette habileté manuelle qui lui permet de trouver "le caractère de chaque matière", Gauguin réalise toutes sortes d'objets : vases, jardinières, pots à tabac, baguiers, appliques... A la porcelaine, il préfère le grès et son "grain grossier mais puissant" qui laisse le sculpteur s'exprimer en toute liberté, avec des formes parfois monstrueuses, des sujets grotesques mais aussi des émaux délicats ou, comme dans ce vase, des figures élégantes.

Avant même son départ pour Tahiti, il fait ici apparaître la femme comme symbole de fertilité, de vie, de sexualité. Copiée d'une frise de Borobudur, temple javanais dont les bas-reliefs l'inspireront à de très nombreuses reprises, cette femme évoque par son déhanchement l'*Eve exotique* peinte en 1890 : dans un paysage imaginaire où se répondent les palmiers martiniquais, les peupliers européens et l'arbre de la Tentation, entre un serpent naïf et un coq qui couvre une poule, une femme assez androgyne. Le visage rappelle le portrait de sa mère que Gauguin réalise à la même époque : Eve, avec un léger sourire ironique, ceuille des fruits. Comme le feront en Océanie tant de ces femmes déifiées, gardiennes de la nature, garantes du cycle de vie, mort et renaissance. (Par exemple, *Te nave nave fenua*, 1892).

Te Nave nave fenua (Terre délicieuse). 1892

Huile sur toile (92 × 73,5)
En bas à gauche : "P. Gauguin 92". Au centre : "TE NAVE NAVE FENUA"
Ohara Museum of Art. Kurashiki, (Japon)

Elle avait cette majestueuse forme sculpturale de là-bas, ample et gracieuse à la fois, avec ces jambes qui sont les colonnes d'un temple (...). Dans ses yeux brillait parfois comme un pressentiment vague des passions qui s'allument brusquement et embrasent la vie alentour, et c'est ainsi peut-être que l'Ile elle-même a surgi de l'Océan et que les plantes y ont fleuri au rayon du premier soleil.

(Noa Noa)

Revoilà la divinité déhanchée du temple de Borobudur dont Gauguin s'est souvent inspiré, en particulier dans divers fusains, aquarelles et gravures qui reprennent directement *Te Nave nave fenua*. L'Eve victime est oubliée. "Nave nave", en tahitien, évoque le plaisir sexuel et cette figure de déesse n'en ressent nulle culpabilité, "pouvant encore marcher nue sans impudeur, conservant toute sa beauté animale, comme au premier jour. (...) La pensée a développé la subtilité, l'amour a imprimé le sourire ironique sur ses lèvres et, naïvement, elle cherche dans sa mémoire le *pourquoi* des temps passés, des temps d'aujourd'hui. Enigmatiquement, elle vous regarde".

Ce caractère antique, habité, "pesant du poids des siècles et comme fantomatique", Gauguin en a eu la révélation dans l'Ile parfumée. Cette "île heureuse", la femme en est l'âme, "reine enfant et déesse sauvage". Ainsi s'identifie-t-elle à la nature, à l'harmonie de parfums grisants, à la forêt, aux fruits et aux fleurs qu'elle cueille, ces fleurs en forme d'œil de paon qui, comme elle, nous regardent.

Cette femme connaît "la mélancolie de l'amertume qui est au fond du plaisir" et sa force "surhumaine ou divinement animale essence" ne laisse pas d'inquiéter le peintre : "Je n'osais les aborder, avec leur regard assuré, la dignité de leur maintien." Témoin de cette crainte, le curieux lézard volant aux ailes rouges, avatar du serpent tentateur ou allié démoniaque de la femme-fleur.

Nafea faa ipoipo ? (Quand te maries-tu ?). 1892

Huile sur toile (101,5 × 77,5)
En bas à gauche : "P. Gauguin 92". En bas à droite : "NAFEA Faa ipoipo"
Fondation Rodolphe Staechelin, Bâle

Il en résulte un être singulier, puéril et majestueux, sculptural en ses rares instants d'immobilité, aux yeux très candides et très aigus, avec un charme unique, indéfinissable, peut-être impénétrable : le charme maori.

(Noa Noa)

La femme maorie, Gauguin la voit élémentaire : air de la pensée et des sentiments, eau du regard, terre du corps, feu des sens... "Il y a l'ardeur du sang, qui appelle l'amour comme son aliment essentiel et qui l'exhale comme son parfum fatal."

Avec une remarquable intuition, il peint la contradiction "entre la majesté architecturale de leur beauté et la grâce puérile de leurs gestes", sous la forme d'un couple dont la représentation le hante, double figure de la femme symbolisant son essence double : Eve naïve, craintive, au regard vague, visage presque flou, corps moins dessiné que le vêtement. Et, derrière elle, la Déesse-Mère, au visage précisément modelé, au regard froidement énigmatique, presque cruel, à la pose hiératique : elle, âme "impénétrable", manifestation terrestre de la Divinité originelle dont le fantôme s'imprime au sommet de la montagne, dans le lointain.

L'Eve au corps épanoui, fleur à l'oreille, symbolise la nature généreuse, la vie. Elle cache à demi la femme secrète, porteuse de mort et d'inconnu. Et toutes deux semblent des émanations du paysage, présence de cet "au-delà" dont Gauguin parle tant, surgies de la terre comme l'arbre qui les accompagne. De la montagne bleue comme l'eau, du ciel jaune comme l'herbe, émanent un mystère, une inattendue sérénité.

A la fin de sa vie, Gauguin reprendra cette double évocation avec *Mère et fille*, toile de 1902. La douceur indécise de la fille, habillée de rouge lumineux, regard noyé et chevelure claire, s'y oppose à la noirceur de la mère, vêtue de bleu sombre, masque mortuaire aux orbites vides. Mais bientôt, mère et fille ne feront plus qu'une, ange de la mort.

Ahua oe feii ? (Eh quoi, tu es jalouse ?). 1892

Huile sur toile (68 × 92)
Signé en bas au centre : "P. Gauguin 92". A gauche : "Aha oe feii ?"
Musée Pouchkine, Moscou

Sur le bord, en maints endroits, des jeunes filles qui viennent de se baigner, sans doute couchées en de voluptueuses attitudes, parlent amours d'hier et projets d'amour de demain.

(Paru dans *Le Sourire*, 1900)

Encore un couple de femmes. Celles-ci impavides, apparemment saisies dans un instant d'intimité tranquille. Leurs corps sombres semblent irradier de l'intérieur la lumière solaire vibrante auprès d'elles et Gauguin les imagine partageant quelques secrets amoureux : "Le plaisir est la grande affaire et l'amour n'est que le plaisir" (*Noa Noa*). Cette composition, il l'a répétée : dans une aquarelle, un monotype, une gravure, ainsi que dans plusieurs études et au second plan de *Nave nave moe* (*Joie de se reposer*), toile réalisée à Paris en 1894. Certains l'ont crue inspirée d'une statue de Dionysos dont le peintre avait la photographie, ou d'un éphèbe de Michel-Ange : elle a effectivement la puissance de l'un, l'élégance de l'autre, dans une pose à la fois dynamique et hiératique.

La toile dégage une merveilleuse sensation de vraisemblance, d'instant volé à la réalité, malgré la totale liberté d'écriture : couleurs intenses et irréelles en parfait accord de ton (le sable rose reviendra dans les paysages marquisiens de 1902), larges aplats cernés d'un trait sombre mais recherche d'un modelé. La mer reste une abstraction complète, représentée par un magma de couleurs violentes, évocatrices de mouvement aquatique profond et de chaleur. Le soleil rayonne de ces corps brûlés, habités par la lumière.

Dans *Et l'or de leur corps* (1901), Gauguin reprendra le thème : deux femmes nues et cuivrées ; mais cette fois, elles observent toutes deux le spectateur, avec ce regard distant, regard de juge que Gauguin a eu tant de mal à affronter, préférant peindre les femmes de dos ou de biais, à l'œil rêveur ou oblique.

Mahana no Atua (Jour de Dieu).   1894

Huile sur toile (70 × 91)
En bas à gauche : "Gauguin 94 / Mahana no Atua"
Art Institute, Chicago

Les oppositions de lumière découpaient nettement et fortement en noir, sur les ardeurs violettes du ciel, les montagnes dont les arêtes dessinaient d'anciens châteaux crénelés. (...) Je sens qu'un regard caché plonge dans les eaux où fut engloutie la famille des vivants après qu'ils eurent commis le péché de la tête.

(Noa Noa)

Les eaux, "où dort le passé". Au premier plan de cette évocation exécutée à Paris après le retour, dans ce magma polychrome, Gauguin fait chanter autant le souvenir de l'Ile idéalisée que la somptuosité des couleurs et de leurs accords musicaux. Depuis longtemps il rejette l'usage courant des couleurs complémentaires pour lui préférer "la loi des dérivés", dont il attend plus de profondeur et d'intensité. "Je rêve à des harmonies violentes dans les parfums naturels qui me grisent" : ainsi sensation et exécution s'accordent-elles.

Allégorique plus que symbolique, la toile impose une image stylisée, emblème du paradis tahitien où se retrouvent nombre de thèmes déjà exploités ou qui le seront lors du dernier séjour : puissante vague ourlée d'écume, cavalier sur la plage, danseuses et joueuses de pipeau, idole... La femme tient le premier rôle dans cette énigme d'une civilisation idéale où le sens du sacré ne cesserait de se manifester, même dans le geste simple de se peigner les cheveux (mouvement dont la grâce doit beaucoup aux *Jeunes filles au bord de la mer* de Puvis de Chavannes). Dans ce monde, l'humain et le divin ne se sont pas encore séparés et composent ensemble une représentation théâtrale qui veut résumer le mystère de la vie, thème que Gauguin développera plus tard dans ses grandes fresques. Ce rêve, ses contemporains ne le comprendront pas. Mais les nouvelles générations de peintres ne l'oublieront pas.

Idole à la perle. 1892-93

Bois de ramanu peint et doré (24 × 12 × 11)
Sans inscription
Musée d'Orsay, Paris

L'un, âme et intelligence, Ta'aroa, est mâle ; l'autre, purement matériel et constituant en quelque sorte le corps du même dieu, est femelle : c'est Hina. Mais l'esprit, la matière et la vie ne font qu'un.

(Noa Noa)

Lisant le récit d'un diplomate français, J. A. Moerenhout, *Voyages aux îles du Grand Océan* (1873), Gauguin découvre les mythes polynésiens. Avec passion il s'en abreuve, pour reconstituer ''la Tahiti d'autrefois'' dont le rêve le satisfait plus que la réalité. Mais aussi parce qu'il rencontre là une manifestation de l'intuition qui le tenaillait depuis longtemps : l'existence d'une cosmogonie où principes masculin et féminin s'enchevêtrent.

Ainsi naît cette idole androgyne, inspirée autant du panthéon océanien que des doux bouddha asiatiques, en particulier d'un Shiva javanais dont il possédait la photographie. De la niche émerge Hina, symbole de la Mer, de la Terre et de la Lune. Hina va bientôt hanter les peintures de Gauguin, spectaculaire idole aux pieds de qui dansent les femmes et dont le profil massif découle des tikis (images habitées par les esprits) qui s'emboîtent l'un derrière l'autre au dos de cette statuette.

Des tikis plus sauvages ornent l'arrière d'une autre sculpture, l'*Idole à la coquille*, réalisée également lors du séjour de Gauguin à Papeete mais vraisemblablement un peu plus tard. L'inspiration en est plus nettement polynésienne, plus proche des arts marquisiens, représentation d'une divinité tatouée, coiffée d'un coquillage et dont la mâchoire en vraies dents de requin dit assez la férocité.

Maruru (Merci).   1893

Gravure rehaussée d'aquarelle et collée p. 59 du manuscrit original de Noa Noa
En bas à droite : "MARURU P.GO"
Cabinet des dessins du Louvre, Paris

Les dieux d'autrefois se sont gardé un asile dans la mémoire des femmes.

(Noa Noa)

·Hina demande à Tefatu de "faire revivre l'homme quand il sera mort". "L'homme mourra, la végétation mourra, la Terre finira pour ne plus renaître" répond le dieu de la Terre. Hina fit donc seulement revivre ce qu'elle possédait, la Lune, "et l'homme dut mourir". Cette légende, que Gauguin juge prophétique du destin des Maoris, condamnés à disparaître par la "civilisation", il va l'illustrer abondamment. Avec son sens coutumier du spectaculaire, il affirme : "Je tenais le pinceau, les dieux Maoris dirigeaient ma main". Malgré tout, il a été magnifiquement inspiré dans ces œuvres où il profile la majestueuse silhouette d'Hina, *Parahi te marae* (*Là est le temple*) et *Arearea*, deux toiles de 1892. Ou ce bois gravé d'une "idole repue", très représentatif de sa technique.

De son métier de sculpteur, il a appris l'usage de la gouge qui lève avec rudesse de gros morceaux de bois. De son expérience de graveur sur pierre, celui du papier de verre pour les grattages légers et de la pointe fine pour les parties taillées à fleur de planche. D'où ce mélange de brutalité et de subtilité. La composition n'obéit à aucune loi du genre : les contours sont tantôt donnés en épargne, tantôt exprimés par des blancs, les personnages se détachent parfois en noir sur fond clair, où l'inverse et, comme ici, les blancs paraissent attendre la couleur. Un style unique, que les gravures de la seconde période tahitienne vont brutaliser : ces bois ressemblent plus à des lithographies primitives, dessin très stylisé, typographie décorative qui vont exercer une influence durable sur les peintres-graveurs modernes et sur Maillol.

Oviri. 1894-1895

Céramique
Signé sur le socle côté gauche : "PGO". De face : "OVIRI"
Musée d'Orsay, Paris

Et le monstre étreignant sa créature, féconde de sa semence les flancs généreux pour engendrer Séraphitus-Séraphita.

(Légende d'un dessin d'Oviri)

Oviri, "étrange figure, cruelle énigme", marque l'aboutissement d'une recherche. Aboutissement formel d'une poterie où Gauguin atteint une puissance d'expression totale. Plénitude conceptuelle dénuée de pittoresque. Elle est là, la Grande Mère des origines. Chasseresse au visage disproportionné, inspiré d'une tête d'animal momifiée qui représente un guerrier marquisien déifié après sa mort. Voluptueuse par la courbe des seins, le déhanchement, la longue chevelure flammée de rouge. Horrifiante par la bête qu'elle engendre et tue, ce serpent compagnon de tant de Déesses Mères, les Isis, Ishtar, Déméter, Anat, Ahi, Inanna... dont les noms font écho à Hina. Grotesques yeux de "monstre méchant", insiste la toile de 1898, *Rave te hiti ramu*, dont le sombre environnement et l'arbre aux branches nues évoquent le *Christ au jardin des oliviers* de 1889. Oviri, divinité tahitienne qui préside à la mort et aux sacrifices est aussi figure de fertilité, représentation de la violence nécessaire à la renaissance, du rajeunissement par la destruction.

Lorsqu'il réalise cette céramique, Gauguin vient de se briser la jambe. Il a décidé de retourner en Océanie, détruire définitivement son "vieux stock de civilisé" mais aussi son Ego frustré de gloire. C'est pourquoi il voit là Séraphita de Balzac, incarnation à l'état de perfection et d'harmonie de l'angélique androgyne.

Cette céramique d'idole impressionnante, (dont il a fait plusieurs gravures) il la réclame à Monfreid, en 1900, pour décorer sa tombe. Mais *"Oviri le sauvage"* dont il reprend le nom pour un autoportrait sculpté, ne le rejoindra pas. Vers 1900 et en 1959, des moulages en bronze en ont été exécutés, comme de ses autres "sculptures ultra sauvages" rapportées de Tahiti.

Maternité. 1899

Huile sur toile (94 × 72)
Signé en bas à droite : "Paul Gauguin 99"
Musée de l'Ermitage, Leningrad

Je rêve à des harmonies violentes dans les parfums naturels qui me grisent (...). Autrefois, odeur de joie que je respire dans le présent. Figures animales d'une rigidité statuaire : je ne sais quoi d'ancien, d'auguste, religieux dans le rythme de leur geste, dans leur immobilité rare.

(Lettre à Fontainas, 1899)

Trois femmes, toutes porteuses de vie : fleurs, fruits, lait maternel. Après la dramatique année 1897 et son suicide manqué, Gauguin a voulu reprendre goût à la vie. Il s'éloigne des mythes sanguinaires, se ressource au Quattrocento qu'avant lui Ingres avait retrouvé. Témoins de cette recherche, ces trois figures empreintes de grâce botticellienne. Elles apparaissent dans de nombreuses toiles, en particulier la femme à la tête penchée, mais jointes comme en prière, qui revient avec quelques variantes en 1898 et 1899, en particulier dans *Faa iheihe, Les Seins aux fleurs rouges, Rupe rupe...* Puis à nouveau dans des paysages de 1902 (*Changement de résidence*) : vestale vêtue de blanc ou de bleu pâle, elle concentre, surtout dans ses formes plus stylisées, toute la grâce classique et "religieuse" que Gauguin met alors en avant dans de grandes compositions verticales. Elle n'est plus la "prêtresse d'un culte défunt" représentée à de si nombreuses reprises les années précédentes. Au contraire, elle retrouve la plénitude de la *Femme au mango* peinte en 1892, plus hiératique, toutefois, empreinte d'une "apparence surhumaine".

Avec ce groupe emblématique d'une douceur féminine qu'il n'avait encore jamais cherché à peindre, l'harmonie tant pourchassée commence à venir à lui. Progressivement, la tendresse d'un amour généreux s'imposera, jusqu'à *L'Offrande* de 1902 - une femme donne le sein, l'autre prie, des fleurs entre les doigts - œuvre lumineuse, simple, lavée de toute amertume.

Nature morte aux oiseaux exotiques.   1902

Huile sur toile (60 × 73)
Signé en bas à gauche : ''Paul Gauguin 1902''
Von der Heydt, Ascona

Mais un jour l'homme blanc apparut, l'ennemi des dieux. Il interdit les sacrifices et, bientôt, l'on vit la race forte dégénérer, s'étioler. Et bientôt elle ne sera plus.

(Noa Noa)

Etrange composition que Gauguin répète dans les derniers mois de sa vie, peignant deux natures mortes presque semblables : sur une nappe blanche aux reflets verdâtres, des dépouilles d'oiseaux, quelques fleurs, rutilantes couleurs, sacrifice à l'obscure idole qui émerge de la pénombre. Depuis *La Belle Angèle*, il a souvent usé de ses ''bibelots barbares'' pour signifier à l'arrière-plan d'un portrait son parti pris primitif (*Autoportrait à l'idole*. 1891), pour peupler ses natures mortes (le pot à tête d'Indien revient dans plusieurs d'entre elles en 1889 et 1890) ou accompagner une femme au geste énigmatique (*Les Ancêtres de Tahamana* en 1893, *Poèmes barbares* en 1896). Mais ici, nulle trace de ''couleur locale'', d'exotisme facile. L'exécution sommaire, réduite à quelques touches de couleurs juxtaposées dans des motifs à peine formés, provoque des sensations contradictoires : la violence des massacres rituels réclamés par la Déesse Mère et ses prêtres pour assurer au cycle de vie et de mort un perpétuel retour est atténuée par l'ambiance verte apaisante, les fleurs en guise de taches sanglantes, la nappe qui banalise l'autel. Devant ce tableau sans peinture, créé par un homme épuisé qui n'a plus la foi suffisante pour recouvrir sa toile, domine un sentiment de nostalgie, souvenir doux-amer d'une culture morte dont Gauguin, par son rêve obstiné, a permis la temporaire résurrection. Mais il ne croit plus à son rêve de divinité. Devant sa case, aux Marquises, il grave un poème de Charles Morice : ''Les dieux sont morts et Atuana meurt de leur mort.''

Jeune fille à l'éventail. 1902

Huile sur toile (92 × 73)
Signé en haut à gauche : "Paul Gauguin / 1902"
Museum Folkwang. Essen

Je ne suis pas de ceux qui médisent quand même de la vie. On a souffert, mais on a joui et, si peu que cela soit, c'est encore de cela qu'on se souvient.

(Avant et Après, 1902-1903)

"Je suis de plus en plus heureux de ma détermination, point de vue de la peinture, c'est admirable. Des modèles ! une merveille" écrit Gauguin à Daniel de Monfreid en novembre 1901, après son installation aux Iles Marquises. Et ce bonheur se sent dans les toiles qu'il y peint. Comme s'il s'était avant sa mort enfin abandonné au mystère d'un destin qu'il ne cherche plus à maîtriser, uniquement préoccupé de conclure son œuvre "d'une façon affirmative".

Lui pour qui les modèles n'étaient "que des caractères d'imprimerie qui nous aident à nous exprimer", donne ici un tableau qui manifeste un intérêt nouveau pour l'expression psychologique. Cette jeune fille, dont il fait le portrait à partir d'une photographie, n'a plus rien de la rigidité statuaire qu'il a tant cherchée chez les femmes. De la vestale, elle ne conserve que le vêtement, drapé stylisé, d'un blanc pur. Le blanc éclatant, extrêmement rare jusqu'alors, ne se trouve que dans les dernières œuvres de Gauguin. Ici, il envahit la toile de sa sérénité, sagesse d'un homme qui, quelques instants, ne craint plus la mort. Un éventail de plumes légères, l'évocation d'un fruit bleu, un sourire mélancolique... Il peint avec une tendresse révélatrice de la nostalgie qui l'étreint.

L'ESPÉRANCE D'UNE NATURE GÉNÉREUSE

De toutes parts les fleurs qui embaument surgissent, les enfants s'ébattent dans ce jardin, les jeunes filles cueillent des fruits ; les fruits s'amoncellent dans d'immenses paniers ; des jeunes gens robustes en grâcieuses attitudes les apportent au pied de l'idole. Ah ! j'oubliais : j'y veux aussi d'adorables petits cochons noirs reniflant du groin les bonnes choses qu'on mangera.

(Le Tableau que je veux faire)

"Un monde meilleur où la nature suivra son cours, les hommes vivront au soleil, sachant aimer". Ce triptyque Nature-Soleil-Amour qu'il définit en 1888, Gauguin l'a poursuivi sa vie durant. Le symbolisent l'abondance de fruits, pulpeuse et désirable nourriture colorée, et l'exubérance des fleurs, omniprésentes chez ce descendant d'une famille de jardiniers. Les uns et les autres amplifient la valeur décorative des toiles tout en exprimant la jubilation du peintre.

L'arbre, d'abord outil plastique, devient après 1889 l'expression même de la puissance : arbre de vie compagnon des Eve, arbre du plaisir et de l'abondance qui protège et porte la douceur de vivre, arbre de sagesse, enfin, pilier du temple universel.

Au chien comme aux animaux qui peuplent ses compositions, Gauguin demande aussi d'exprimer la vitalité de la nature. Mais il réserve au cheval un rôle à part : symbole complexe qui associe la traditionnelle image de force génératrice de vie au sentiment de lointain, à la poursuite des rêves mais aussi à la mort : "Je vis un pâle cheval et sur lui la mort était assise" raconte l'Apocalypse. A lui seul, le cheval personnifie l'Eden cent fois perdu et retrouvé, offert à celui qui n'attend plus rien de la vie que l'achèvement de son œuvre.

Entrevoir un bonheur, n'est-ce pas un avant-goût de Nirvâna.

Aux mangos *(La Récolte des fruits).*   1887

Huile sur toile (89 × 116)
En bas au centre (sur le seau) : "P Gauguin 87"
Musée Vincent van Gogh, Amsterdam

L'expérience que j'ai faite à la Martinique est décisive. Là seulement je me suis senti moi-même et c'est dans ce que j'ai rapporté qu'il faut me chercher si l'on veut savoir qui je suis.

(Confié en 1889 à Charles Morice)

Gustave Mirbeau ne s'y trompe pas qui voit dans les sous-bois martiniquais de Gauguin "un mystère presque religieux, une abondance sacrée d'Eden. Et le dessin s'est assoupli, amplifié : il ne dit que les choses essentielles, la pensée." Les frères Van Gogh, eux aussi, tombent sous le charme : Théo achète trois de ces toiles exotiques et Vincent invite Gauguin à Arles.

A la Martinique, Gauguin découvre enfin le soleil, un paradis tropical qu'il décrit abondamment dans ses lettres, des arbres "admirables pour le paysagiste", une grâce chez les femmes — "leurs gestes sont très particuliers et leurs mains jouent un grand rôle en harmonie avec le balancement des hanches" — dont les ondulations lui rappellent les silhouettes des estampes japonaises. A la japonaise, il stylise les mouvements, hausse l'horizon, comprime la profondeur, densifie la composition. Comme Pissarro, il use encore des mélanges optiques de couleurs, touches diagonales des robes et des feuillages qu'il mettra longtemps à répudier et dont il usera dans ses dernières toiles (série des *Tournesols* de 1901, *Cavaliers sur la plage* de 1902...). Pourtant, il rompt avec ses maîtres. Aux gris sourds des paysages de France se substituent des tons vigoureux et étonnants, plus nets. Sa touche s'élargit, un trait accentue les contours, la composition se construit par masses.

Dans cette première expression de son idéal édénique, Gauguin trouve une gravité fort éloignée des vivacités impressionnistes. Elle ne témoigne pourtant d'aucune tristesse, seulement de fécondité et de calme. Rêve délectable dont la poursuite le poussera à l'exil.

Nature morte au profil de Laval. 1886

Huile sur toile (46 × 38)
Signé en bas à gauche : "P. Gauguin 86"
Collection particulière, Lausanne

Voyez Cézanne (...), il affectionne dans la forme un mystère et une tranquillité lourde d'homme couché pour rêver, sa couleur est grave comme le caractère des Orientaux (...) ; ses fonds sont aussi imaginatifs que réels. Pour résumer : quand on voit un tableau de lui on s'écrie : "Etrange !" Mais c'est un mystique, dessin de même.

(Lettre à Schuffenecker, 1885)

Gauguin possédait des toiles de Cézanne auxquelles il tenait "comme à la prunelle de ses yeux" et son admiration pour le "sacré peintre" dont il répète volontiers l'aphorisme "un kilo de vert est plus vert qu'un demi-kilo", ne se démentira pas.

L'influence du maître d'Aix est totale dans cette nature morte peinte à Pont-Aven : la hachure obstinée, sans fantaisie, remplace la virgule impressionniste ; la composition s'affirme, rigoureuse par l'équilibre entre verticales, horizontales et obliques. Simplicité des formes, agencement des plans en volumes pleins, modelé exprimé par la couleur... Gauguin s'efforce, à la manière de Cézanne, de rechercher sous les apparences les lois cachées qui régissent l'univers visible. Comme lui, il s'écarte de la pure sensation visuelle sur laquelle se concentrent les impressionnistes.

Mais, au-delà de l'hommage, il exprime déjà sa recherche personnelle : la pureté de la couleur, la force et le rythme de la ligne, l'aident à affirmer sa volonté de synthèse. Le pot, une des premières céramiques faites chez Ernest Chaplet et dont il écrira à sa femme "conserve-le moi précieusement, j'y tiens", évoque son goût pour les arts primitifs. Et le profil de Laval son admiration pour les peintres du seizième siècle qui mêlaient, comme Peter Aertsen, natures mortes et personnages. Charles Laval, son jeune disciple, avec qui il va bientôt partir à la Martinique.

Le Repas (ou Les Bananes).   1891

Huile, papier marouflé sur toile (72 × 92)
Signé en bas à droite : "P. Gauguin 91"
Musée d'Orsay, Paris

*Je me contente de fouiller mon moi-même et non la nature,
d'apprendre un peu à dessiner, le dessin il n'y a que cela, et puis je
cumule des documents pour peindre à Paris.*

(Lettre à Monfreid, novembre 1891)

Dans la rencontre entre ces enfants et ce ''repas'', une des premières toiles tahitiennes, Gauguin atteint la gravité et le charme énigmatique qu'il recherche, mélange d'inertie et d'éclat où transparaît la nature tropicale. L'exaltation des couleurs au premier plan s'oppose aux visages lisses et indifférents des enfants, comme si la vitalité appartenait plus aux plantes qu'aux être humains.

La scène étonne autant par ses qualités décoratives que par l'extrême rigueur de son harmonie. Perspective plongeante, courbes des épaules, fermeté oblique des objets soulignée par les ombres bleues : tout concentre l'attention sur la figure centrale, la seule à regarder la source de lumière. Ces obliques, ressources traditionnelles des peintres de natures mortes dès le dix-septième siècle, rythment l'espace — ouvert à droite sur une plus grande profondeur — et répondent à la frise en trois plans, ordonnance horizontale à laquelle Gauguin aura souvent recours dans ses grandes compositions.

La technique signe une maîtrise parfaite : sans modelé, par la brutalité des couleurs et la franchise du dessin, chaque élément jouit d'une forte présence, le procédé du papier marouflé donnant un raffinement de matière et une précision accrue. Selon son habitude, Gauguin prépare son dessin au pinceau. La peinture est épaisse, parfois lissée, parfois hachurée, parfois grattée avec le manche du pinceau. Pour le garçon de gauche et la petite fille il reprend des croquis faits en France et, pour le garçon de droite, un dessin préparatoire aux *Fleurs de France*, toile de la même période et du même esprit : les lauriers roses y éclatent hors des limites du tableau, comme ici les fruits paraissent enfler à la rencontre du spectateur. Et suggèrent le sentiment de la tranquille et puissante vitalité de la nature.

Bouquet de fleurs. 1897

Huile sur toile (73 × 93)
Signé en bas à droite : "P. Gauguin 97"
Musée Marmottan, Paris

Hommes de science, pardonnez à ces pauvres artistes restés toujours enfants, si ce n'est par pitié, du moins par amour des fleurs, et des parfums enivrants, car souvent ils leur ressemblent. L'œuvre d'art est un miroir où se reflète l'état d'âme de l'artiste.

(Diverses choses, 1897-98)

Contrairement à Cézanne pour qui la métaphysique reste une recherche individuelle, l'exploration de la vie intérieure des choses, chez Gauguin, plonge ses racines dans l'inconscient collectif. Et dans une admiration presque naïve pour la nature, magistrale créatrice. La nature est sacrée. Et Gauguin nous fait ressentir la violence de ses vibrations par la richesse des couleurs, palette exubérante fort peu accordée pourtant à "l'état d'âme de l'artiste" en cette terrible année 1897. Ses indigos et ses vermillons semblent composer un chant profond, léger, grave comme une prière, comme une pièce de musique baroque.

Toutes les natures mortes de la seconde période tahitienne sont empreintes de ce lyrisme, compositions amples où les fruits et les objets sont traités comme des choses définitives, comme des architectures monumentales.

Elles n'ont plus besoin pour exister d'une présence humaine, d'un regard, d'un désir posé sur elles. Gauguin ne cherche plus à opposer la gaité et la puissance des fleurs et des fruits à la tristesse des hommes. Il ne tente pas plus de théoriser son art : simplement, pour le plaisir, il peint des natures mortes.

Celle-ci en est un des plus beaux exemples, resté caché jusqu'en 1985 dans la collection qu'Henri Duhem a légué au musée Marmottan.

Nature morte à "L'Espérance". 1901

Huile sur toile (65 × 77)
Signé en bas à droite : "Paul Gauguin 1901"
Collection de Mme Cummings, New York

Quand je suis fatigué de faire des figures (ma prédilection), je commence une nature morte que je termine d'ailleurs sans modèle.

(Lettre à Emmanuel Bibesco, 1900)

"Mieux est de peindre de mémoire, ainsi votre œuvre sera vôtre" conseillait Gauguin aux jeunes peintres en 1888, déjà convaincu par les philosophies néo-platoniciennes qui voient dans le visible des manifestations de l'invisible.

Il doit être bien fatigué, en cette fin 1899 comme au début de 1901 : durant toute cette période il ne signe que des natures mortes, surtout des bouquets et, par quatre fois, des tournesols. Souvenir de Van Gogh, dont il parle dans *Avant et Après*, tentant de se défendre de son remords : "Me jette la pierre qui voudra". Présence de Puvis de Chavannes et de son *Espérance* dont Gauguin possédait une photographie et qui l'avait inspiré pour la posture de *Te aa no Areois* (Le Germe des Aerois) en 1892. Rappel de Degas : on peut deviner à gauche la petite peinture d'une femme entrant dans sa baignoire. Allusion à Redon : dans deux autres bouquets, parmi les tournesols émerge un œil, œil solaire et inquiétant, au regard métallique, qui répond au "il y eut peut-être une vision première essayée dans les fleurs" d'Odilon Redon.

L'esprit qui hante cette nature morte n'a guère l'air amical. Les fleurs penchent la tête, fatiguées elles aussi. Et les figures primitives esquissées sur la coupe sculptée évoquent la mort, les fantômes. Malgré la vivacité des couleurs, tout dans cette toile inspire la tristesse, la crainte.

Te Raau rahi (Le Grand arbre).   1891

Huile sur toile (72 × 92)
En bas à droite : "P Gauguin 91" ; à gauche : "Te raau rahi" (écrit par Monfreid
sur les indications de Gauguin)
Art institute, Chicago

*Elle est épaisse, l'ombre qui tombe du grand arbre adossé à la
montagne, du grand arbre qui masque l'antre formidable. Epaisse
aussi la profondeur des forêts.*

(Noa Noa)

Alors qu'en Bretagne la nature se départissait rarement d'un certain air revêche,
mère rude et mal-aimante, le paysage tahitien jouit, avec puissance et langueur tout
à la fois, d'une abondance évidente. Il a une élégance gaie qui se laisse facilement
résumer en quelques traits, que le style n'a pas besoin de souligner.

Son ampleur, surtout, s'oppose aux paysages bretons, cadres resserrés où les personnages tiennent en général le premier plan. Au contraire, à Tahiti, les hommes
et les chiens, leurs éternels compagnons, ne sont que modestes silhouettes, ponctua-
tion d'un vaste territoire.

Confronté aux "couleurs franches, ardentes" qui l'éblouissent à son arrivée, Gauguin hésite quelque temps, dit-il, à mettre sur sa toile "cet or, cette joie de soleil".
De cette lumière, si intarissable et insaisissable, il se protège, recherche l'ombre où
les Tahitiens se réfugient, à l'heure de la sieste. Cette sérénité de l'atmosphère emplit
sa toile, alors que s'esquisse déjà sa vision d'une nature éternellement en fête.

Te raau rahi

Ia Orana Maria (Je vous salue Marie). 1891

Huile sur toile (114×89)
En bas à gauche : ''IA ORANA MARIA'' ; à droite : ''P. Gauguin/91''
Metropolitan Museum, New York

Ces femmes chuchotent dans un immense palais décoré par la Nature elle-même. De là toutes ces couleurs fabuleuses, cet air embrasé, mais tamisé, silencieux... Oui, cela existe, comme équivalent *de cette grandeur, de cette profondeur, quand il faut l'exprimer dans une toile d'un mètre carré.*

(Notes pour expliquer mon art tahitien, puisqu'il est réputé incompréhensible)

''L'artiste se reconnaît à la qualité de sa transposition'' proclame Gauguin. Ainsi suggère-t-il ''une nature luxuriante et désordonnée, un soleil des tropiques qui embrase tout'' en supprimant les valeurs intermédiaires : tapis d'herbe émeraude où les pastèques se confondent, bananes vert et vermillon, sentier violet... Pour mieux rendre Tahiti ''fidèlement imaginée'', par souci de ''ne pas permettre aux apparences de masquer la réalité profonde'', il donne aux tons la plus grande intensité d'expression et densifie sa composition ''religieuse''. Si bien que l'éclat de sa Nativité n'a rien à envier à un primitif italien (Est-ce un hasard si l'ange aux ailes bleues et jaunes semble surgi tout droit de la *Salutation angélique* de Fra Angelico ?). Elle en a la grâce, la majesté suave, le sourire mutin.

Aux arbres en fleurs qui peuplent le second plan répondent les montagnes du lointain, fortes et sombres présences. Le thème de la montagne magique revient souvent dans les œuvres du premier séjour tahitien, manifestation de la divinité de la Terre (*Quand te maries-tu ?* 1892), lieu sacré où les hommes côtoient les dieux (*Parahi te marae : Ici est le temple.* 1892).

IA ORANA MARIA

G Gauguin 9

Entre les lys (Paysage breton avec chien). 1889

Huile sur toile (92,5 × 73,5)
Signé en bas à droite : "P. Gauguin 89"
Collection R. Staechelin, Bâle

Les moments de doute, les résultats toujours en dessous de ce que nous rêvons, et le peu d'encouragement des autres — tout cela contribue à nous écorcher aux ronces (...) Vous savez si j'estime ce que fait Degas et cependant je sens quelquefois qu'il lui manque de l'au-delà, un cœur qui remue. Les larmes d'un enfant, c'est aussi quelque chose et cependant c'est bien peu savant.

(Lettre à Emile Bernard, 1889)

Au Pouldu, alors qu'il rêve de plus en plus à partir vers les tropiques, Gauguin traverse des périodes de créativité intense suivies par des passages à vide brutaux : "Machinalement, je fais quelques études, mais l'âme est absente et regarde tristement le trou béant devant elle."

Sensation de vide que communique cette toile, à la technique approximative, soudain retour en arrière dans le traitement d'un paysage plat, dénué de tristesse comme de joie mais où s'exprime une naïveté poétique très rare chez Gauguin. Ses lys, ici, n'ont rien de la beauté pulpeuse qu'afficheront en Polynésie ses étranges orchidées. Mais le chien annonce les bêtes maigres et fatiguées de Tahiti. Il rappelle le chien d'un tableau de Courbet qui faisait partie de la collection Arosa, *L'Enterrement à Ornans*, et remplace le petit animal joueur, joyeuse boule de poils inspirée elle aussi d'une toile de Courbet (*L'Atelier*) : queue en panache, museau furetant, il apparaissait dans *La Fenaison* ou dans la *Ronde des petites Bretonnes* en 1888, nettement plus confiant dans l'existence que ce chien à queue basse, noir de surcroît, et l'on sait que dans le noir Gauguin voit avant tout un symbole de deuil. Les larmes d'enfant dont il parle évoquent bien sûr sa famille. Désormais, dans les chiens qu'il peindra, Gauguin avouera se représenter lui-même, lui et sa solitude. Il laissera la charge d'exprimer la vivacité ou la puissance de la nature à d'autres animaux, "adorables petits cochons noirs" et surtout chevaux.

Arearea (Joyeusetés). 1892

Huile sur toile (75 × 94)
En bas à droite : "AREAREA" et signature demi effacée : "P GAUGUIN 92"
Musée d'Orsay, Paris

Ils sont heureux et calmes. Ils rêvent, ils aiment, ils sommeillent, ils chantent, ils prient, et je vois distinctement, bien qu'elles ne soient pas là, les statues de Hina (...). Autour d'elle on danse selon les rites d'autrefois — Matamua — et le vivo varie sa note claire et gaie, mélancolique et assombrie, avec les heures qui se succèdent.

(Noa Noa)

Exposé à Paris en 1893, le tableau provoqua le cri d'effroi d'une Anglaise, scandalisée par le "red dog". L'animal, esquissé un an plus tôt dans *I raro te oviri* puis dans *Les Trois cases* (1892), rappelle le chien de Courbet dont Gauguin s'était inspiré pour *Entre les lys* et qu'il retrouvera dans *Faa Iheihe* en 1898. Mais ici, avec son long museau et son œil triste de chien errant, solitaire, un peu fatigué (on le voit couché dans *Pastorales tahitiennes*, toile qui reprend l'essentiel de celle-ci, et dans *D'où venons-nous...*), il n'a plus la vitalité ni la force de son prédécesseur. Gauguin en a fait de nombreuses esquisses et la radiographie du tableau révèle qu'il a cherché longtemps la position de ses pattes et de sa queue. Le décrivant "maigre jusqu'à être efflanqué, le cou mince, le museau étiré, la queue basse, l'air affamé", le peintre avoue se représenter lui-même, à cette époque où il se dit "au bout du rouleau et très perplexe", usé et impatient de revenir en France.

Alors il rêve, dans cette évocation du bonheur parfait, exalté par les couleurs irradiantes, la pureté de la stylisation, les poses grâcieuses des vahinés, la présence protectrice de l'arbre : il atteint là un sommet dans le rythme décoratif dont ses recherches, plus tard, tendront à se dépouiller. Il reprend le thème religieux de *Matamua*, autour de l'idole dessinée aussi dans *Parahi te marae* et dans *Maruru*. Grave et sereine, la scène dégage à la fois une sensation de sacralité et une mélodie accordée à la joueuse de pipeau. Par le cadre surbaissé, l'absence de relief et de perspective qui permet de ne pas dissocier les plans, Gauguin donne à la composition une ambiance feutrée et douce. Il crée une véritable architecture de la couleur, grâce à l'intensité des tons (qu'il trouvait pourtant fades) et à la rigueur de la construction en strates. Ainsi il obtient "par des arrangements de lignes et de couleurs, avec le prétexte d'un sujet quelconque, des symphonies, des harmonies ne représentant rien d'absolument *réel* au sens vulgaire du mot, n'exprimant directement aucune idée, mais qui doivent faire penser comme la musique fait penser" : ces "affinités mystérieuses" qu'il recherche tant.

L'Homme à la hache.   1891

Huile sur toile (92 × 70)
Signé en bas à gauche : "P Gauguin 91"
Collection Lewyt, New York

L'homme lève ses deux mains, dans un geste harmonieux et souple, une hache pesante qui laisse en haut son empreinte bleue sur le ciel argenté, en bas son incision sur l'arbre mort où vont revivre en un instant de flammes les chaleurs séculaires jour à jour thésaurisées.

(Noa Noa)

En ce début de son séjour tahitien, Gauguin s'émerveille des "beaux animaux humains" idéalement accordés à leur environnement naturel. Pour représenter cette identité poétique entre les actions humaines et le paysage, il peint des décors plats, des formes qui semblent flotter, représentées par leurs seuls contours, et il joue sur des contrastes de couleurs profondes. Les décorations sinueuses rappellent la présence de forces surnaturelles. Le rythme puissant du dessin combine le martèlement de la hache, au premier plan, avec le roulement de la mer dans le lointain. Le tout évoque une vie réglée comme une chorégraphie, comme un rituel quotidien où le peintre veut puiser son "rajeunissement" : "La civilisation s'en va petit à petit de moi et je commence à penser simplement... Je fonctionne animalement, librement, avec la certitude du lendemain pareil au jour présent, je deviens insouciant, tranquille et aimant. Moi, je n'ai plus la conscience du jour et des heures, du mal et du bien, tout est beau, tout est bien."

La figure de l'homme, pour laquelle on connaît deux dessins préparatoires, est reprise d'une frise du Parthénon dont Gustave Arosa avait réalisé des phototypes. Preuve que malgré ses dires, Gauguin ne craignait pas de puiser aussi chez les Grecs...

Le thème de l'homme à la hache — scène clé de *Noa Noa* où Gauguin avoue son désir pour le corps androgyne d'un jeune Tahitien, tentation qu'il sublime en abattant un arbre à grands coups de hache — revient en 1892 : *Matamoe* (*Le Paysage aux paons*) éclate cette fois de très vives couleurs, dans un majestueux paysage traité comme une œuvre abstraite.

Le Pauvre pêcheur. 1896

Huile sur toile (76 × 66)
En bas à gauche : "P. Gauguin 96 / pauvre pêcheur"
Museu de Arte, Sâo Paulo

Toujours ce silence. Je comprends pourquoi ces individus peuvent rester des heures, des journées, assis sans dire un mot et regarder le ciel avec mélancolie.

(Lettre à Mette, 1891)

Ce silence, ce plaisir contemplatif, Gauguin en a surtout parlé au cours de son premier séjour tahitien. Mais aucune de ses œuvres n'en exprime autant la calme mélancolie que cette toile, réponse au *Pauvre pêcheur* de Puvis de Chavannes, à l'évidence plus misérable et malheureux. Il le peint d'ailleurs une seconde fois dans *Te vaa* (La Pirogue), devant un paysage marin plus ouvert.

Pourtant, la palette de Gauguin s'est assombrie, son ciel se charge de nuages. Le retour en Océanie est un échec, il ne peut se le cacher complètement. Des peintures de cette période il écrit à Monfreid en juillet 1896 : "il y a au fond tellement d'angoisse, de souffrance, que cela peut relever la maladresse d'exécution". En lui, quelque chose se prépare, l'affrontement à la douleur, dont va progressivement naître une œuvre épurée.

Nave nave mahana (Jours délicieux).   1896

Huile sur toile (94 × 130)
En bas au centre : "NAVE NAVE MAHANA / P Gauguin 1896"
Musée des Beaux-Arts, Lyon

Sous un ciel sans hiver, sur une terre d'une fécondité merveilleuse, le Tahitien n'a qu'à lever le bras pour cueillir sa nourriture ; (...) heureux habitant des paradis ignorés de l'Océanie, il ne connaît de la vie que les douceurs.

(Ecrit en Bretagne, 1890)

Comme à chaque fois qu'il va mal, Gauguin cherche refuge dans son rêve édénique. Effort de volonté d'un homme qui se dit épuisé, à terre, il redresse verticalement ses figures dans une composition où il retrouve la majesté décorative, la noblesse sereine de poses hiératiques et un espace construit par des arbres aux branches stylisées, isolant les personnages autant qu'ils les relient. Toutes caractéristiques qui évoquent Puvis de Chavannes, son sens des ordonnances ryhtmées et la langueur laconique des sujets. La jeune fille en blanc est d'ailleurs directement inspirée des *Femmes au bord de la mer*. Delacroix aussi est mis à contribution : la figure assise à droite trouve son origine dans les *Femmes turques au bain* et la main posée sur une branche reprend le geste d'une des *Baigneuses*.

Au cours de cette période, Gauguin s'en tient à une technique à la fois fruste et composée : cerne soutenu autour des figures, feuillages impressionnistes, touches peu visibles, peinture essuyée jusqu'à faire apparaître le grain grossier de la toile. Au reproche qu'on lui adresse de ne pas finir les détails, il répond préférer "les intentions et les promesses", qui évoquent mieux le mystère, et fuir la "ciselure" impuissante à "réparer le manque d'imagination". Et il cite les tableaux de Corot, "esquissés avec tant de charme".

Des compositions telles que celle-ci, ou encore *Faa Iheihe, D'où venons-nous..., Rupe rupe*, montrent assez combien Albert Aurier avait raison de réclamer pour Gauguin des murs et des dômes. On imagine les fresques qu'il aurait pu peindre, empreintes de la certitude que "la nature ne nous livre que des symboles : la sensation, le sentiment, l'idée que nous avons d'elle". Cette richesse inépuisable avec laquelle il nous invite à communier.

Le Rendez-vous (Dans le champs de vanille).   1891

Huile sur toile (73 × 91)
Signé en bas à gauche : "P Gauguin. 91"
Musée Guggenheim, New York

Que tout respire le calme et la paix de l'âme. Ainsi évitez la pose en mouvement ; chacun de vos personnages doit être à l'état statique.
(Conseils à de jeunes peintres, 1889)

Chez les Polynésiens, Gauguin trouve une étonnante capacité à garder la pose sans pour autant se statufier. Ainsi ses personnages deviennent-ils naturellement des "idoles", des archétypes dirions-nous aujourd'hui. Voici, non plus la femme-Nature mais, surgi lui aussi de la forêt, en accord avec elle, l'homme-cheval. Le thème du cavalier et du cheval, compagnons en conjonction physique et spirituelle, apparaît pour la première fois dans ce *Rendez-vouz* où le jeune Tahitien, frère de *L'Homme à la hache*, vient retrouver la femme-fleur qui l'attend, cachée derrière les arbres. Le vert domine mais, au cœur de la forêt l'ambiance est au rose, ombre rose des fourrés qui teinte la robe du cheval. Le cheval blanc, en Polynésie, associe pureté et force génératrice de vie, mais désigne aussi les pouvoirs surnaturels des dieux et de la mort. Ainsi verrons-nous plus tard d'autres cavaliers traverser les toiles de Gauguin, non plus, comme ici, représentations de la vitalité de la forêt mais, comme dans *Le Gué* (1901), évocations d'une gravure de Dürer, *Le Chevalier, la Mort et le Démon*, pâle cheval de l'Apocalypse monté par une silhouette encapuchonnée et escorté par un chien courant. Jusqu'aux dernières œuvres marquisiennes, près d'un quart des quelques quatre-vingt toiles peintes entre 1897 et 1903 fera appel au cheval, parfois omniprésent, parfois tout petit dans le lointain, images du rêve que l'artiste poursuit, coûte que coûte.

Le Cheval blanc.   1898

Huile sur toile (141×91)
Signé en bas au centre : ''P Gauguin 98''
Musée d'Orsay, Paris

Je me suis reculé bien loin, plus loin que les chevaux du Parthénon, jusqu'au dada de mon enfance.

(Diverses choses, 1897-98)

Le Parthénon est là, pourtant, par l'attitude de ce cheval marbré, issu d'une frise dont Gauguin possédait des phototypies. Et Degas, avec le cavalier de gauche (qui réapparaîtra dans les deux *Cavaliers sur la plage* de 1902) et celui de droite, déjà utilisé pour *Faa Iheihe* et *Rupe rupe*. Mais surtout, Gauguin fait appel à la mythologie polynésienne pour qui le cheval blanc est sacré. Plusieurs fois encore le peintre aura recours à ce symbole de haute valeur spirituelle, en particulier dans une de ses dernières toiles, *Femmes et cheval blanc* (1903) : dans un paysage ondoyant et coloré, une femme nue s'apprête à partir et sa monture semble la protéger du mal, Pégase magique capable de la mener à la renaissance.

Commandé par le pharmacien de Papeete qui proposait ainsi à Gauguin de lui remettre sa dette, le tableau indigna : ''Mais le cheval est vert !'' Et le pharmacien refusa l'explication : ''N'avez-vous jamais remarqué combien les choses sont vertes, à la fin de l'après-midi, quand installé dans votre fauteuil, vos yeux à demi fermés, vous admirez le jeu de la lumière dans la nature ?'' Incompris également par ces messieurs du comité de sélection du Louvre qui, en 1932, se firent tirer l'oreille pour acheter ''pareille saloperie''.

La composition, pourtant, étonne par sa force d'évocation, ses motifs onduleux de branches bleues qui donnent à la scène comme une distance immémoriale, l'étrangeté de sa fleur blanche qui condense le mystère de la forêt, la vigueur des aplats de couleurs chaudes, capables de ''suggérer une nature luxuriante et désordonnée, les fourrés, les ruisseaux ombrés''. A partir d'éléments formels très simples, Gauguin crée un rythme décoratif vivant et poétique, à la limite de l'abstraction. Encore une fois, il décrit la puissance de la nature, seule vérité apte à le délivrer de son angoisse.

Cavaliers sur la plage.   1902

Huile sur toile (66 × 76)
Signé en bas à gauche : "Paul Gauguin / 1902"
Folkwang Museum, Essen

Ici la poésie se dégage toute seule. Il suffit de se laisser aller au rêve pour le suggérer.

(Lettre à Monfreid, 1902)

"Cherchez l'harmonie et non l'opposition, l'accord et non le heurt" conseillait Gauguin à ses jeunes émules. Etonnante combinaison de couleurs dans cette toile peinte aux Marquises, une des dernières, où le gris-mauve du ciel et le rose-bleuté du sable se répondent, où la terre est orangée. A cette terre appartiennent les deux cavalières, jaune et rouge, bien que leur silhouette encapuchonnée déjà rencontrée plusieurs fois dans les œuvres tahitiennes n'ait rien à voir avec la Polynésie.

Toute la composition, faite de triangles, semble converger vers un point de fuite qui se dérobe. Les chevaux eux-mêmes, à qui Gauguin a demandé si souvent de porter son rêve d'aventure, ne peuvent aller plus loin.

Pourtant, quelle harmonie, quel calme dans cette contemplation de l'océan... Océan du voyageur prisonnier de l'île. Océan du malade au corps usé qui va bientôt partir pour le grand large.

Un autre *Cavaliers sur la plage* peint également en 1902 reprend le même motif. Chevaux du Parthénon et jockeys de Degas s'y retrouvent, dans des tons plus doux, plus sages. Mais la composition y est moins fermée, moins bloquée sur la ligne d'horizon. Le regard de Gauguin sur le monde semble, enfin, apaisé, et sa familiarité avec le paysage lui permet une stylisation moins rigide. Face au mystère, plus épais que jamais mais lisible seulement entre les lignes, le peintre paraît s'abandonner. Quelques instants, Gauguin baisse la garde, cesse de chercher à toute force à maîtriser le destin.

Paysage avec cochon et cheval.   1903

Huile sur toile (75 × 65)
En bas à droite : "Paul Gauguin / 1903"
Ateneumin Taidemuseo, Helsinki

Toutes ces préoccupations me tuent.

(Lettre à Monfreid, 1903)

Dans ce tableau, peut-être le dernier, Gauguin ne peint plus. Usé, souffrant, incapable de marcher — il se déplace en carriole — il jette sur la toile des couleurs sombres et violentes, crée un paysage étouffant où l'atmosphère chaotique, anxieuse, rappelle les sujets bretons de 1895 : alors, son retour en France qu'il avait espéré triomphal, se soldait par une accumulation d'échecs. Huit ans plus tard, malgré les fonds envoyés par le marchand Vollard qui le sort de la misère, malgré la morphine dont il abuse pour faire taire la douleur physique, l'angoisse l'envahit de nouveau. En but aux tracasseries juridiques, convaincu de devoir partir bientôt pour son ultime voyage, il perd la sérénité qui, depuis son arrivée aux Marquises, lui avait autorisé un court répit.

Ce paysage de la Dominique témoigne de son agitation, de son inquiétude : désordre de la composition, grossièreté du dessin où le cheval ressemble à une bête de somme, pauvre mulet plus que monture mythologique. Seuls la puissance des arbres aux longs fûts roses et l'humour du cochon noir arrosant le sol de ses déjections, suggèrent la présence de Gauguin, d'un créateur qui n'a plus rien à chercher, rien à prouver.

LE MYSTÈRE DES PRÉSENCES INVISIBLES

L'insondable mystère reste ce qu'il a été, ce qu'il est, ce qu'il sera, insondable. Dieu n'appartient pas au savant, au logicien. Il est aux poètes, au Rêve. Il est le symbole de la Beauté, la Beauté même.

Le mystère hante Gauguin, dans des visions souvent confuses où interviennent tous les moyens plastiques à sa disposition : la vibration des couleurs, partition musicale ; la construction en lignes courbes et droites verticales ou diagonales ; le dessin en arabesques opposées à la brutalité des formes statiques... Malgré son désir de se délivrer des "froids calculs de la raison", il ne parvient pas toujours à éviter l'écueil de l'allégorie dont il fustige le manque d'authenticité, la "littérature" où disparaît l'émotion. Mais au rêve il puise parfois une lucidité médiumnique, cet "instinct", cette "sensation" qui lui permettent de traduire les "phénomènes qui paraissent surnaturels", les sentiments "les plus délicats et par suite les plus invisibles".

Si je regarde devant moi dans l'espace, j'ai comme une vague conscience de l'infini et cependant je suis le point du commencement. En cela je n'ai pas l'explication d'un mystère mais simplement la mystérieuse sensation de ce mystère.

La vision après le sermon
(La Lutte de Jacob avec l'ange).   1888

Huile sur toile (73 × 92)
En bas à gauche : "P. Gauguin 1888"
National Gallery of Scotland, Edimbourg

Je crois avoir atteint dans les figures une grande simplicité rustique et superstitieuse. Le tout très sévère. Pour moi, dans ce tableau, le paysage et la lutte n'existent que dans l'imagination des gens en prière par suite du sermon.

(Lettre à Van Gogh, septembre 1888)

"J'ai cette année tout sacrifié au style, voulant m'imposer autre chose que ce que je sais faire" écrit Gauguin à Schuffenecker. Celui qui a profité des leçons de Pissarro et "chipé sa petite sensation" à Cézanne va plus loin que ses maîtres. Il supprime les touches rapprochées et les hachures diagonales, choisit la couleur "suggestive" préconisée par Anquetin, pose ses teintes à plat, traite le tableau comme un vitrail : les cernes du cloisonnisme rappellent les plombs des verrières médiévales, mais aussi le Manet de *L'Olympia* et du *Fifre*.

Dans cette œuvre-clé où Gauguin trouve enfin son style, cette œuvre-manifeste où il clame avec éclat son adhésion à de nouvelles techniques picturales, il tient compte à la fois de son expérience de céramiste (ligne dépouillée, trait incisé, couleurs émaillées en aplat), de son goût pour l'art celte et l'art primitif, des leçons d'ordonnance des estampes japonaises (qui expriment l'espace, la perspective, par des moyens peu habituels en Occident). Et du synthétisme tel qu'Emile Bernard vient de le formaliser avec ses *Bretonnes dans la prairie* : "ramener toutes les formes à leurs lignes essentielles et les couleurs aux tons entiers de la palette". Mais autant la toile de Bernard était sèche, avec son vert acide et sa composition sans émotion, plus préoccupée des idées que de l'idée, autant Gauguin exprime sa profonde volonté de peindre le mystère. Au-delà du synthétisme, il met en scène la ferveur, conduit le spectateur à se fondre parmi les Bretonnes pour les amener à partager leurs sensations. Pour la première fois, un tableau donne à voir simultanément la réalité "objective" et sa projection dans l'imaginaire.

Contrairement au curé de Nizon qui refusera l'œuvre dont l'artiste voulait lui faire don, le critique Albert Aurier ne s'y trompera pas, saluant le "visionnaire sublime" : avec cette *Lutte de Jacob*, Gauguin signe la première peinture symboliste moderne. La technique de séparation entre le monde "réel" et le monde du "rêve" y est encore simpliste : il reprendra et affinera en 1894, dans *Mahna no varua Ino* (*Le Diable parle*), le même graphisme d'un tronc d'arbre en diagonale séparant de part et d'autre d'un feu central un groupe de Bretons aux chapeaux ronds et des Tahitiens écoutant un conteur. Attiré par ce qu'il y a de primitif et d'éternel dans l'humain, Gauguin le sera en Océanie comme en Bretagne. Jusqu'au bout, il va peindre les craintes, les hantises, les croyances.

Dans le jardin de l'hôpital d'Arles (Arlésiennes). 1888

Huile sur toile (73 × 92)
En bas à gauche : "P. Gauguin 88"
Art Institute, Chicago

Les femmes sont ici avec leurs coiffures élégantes, leur beauté grecque, leurs châles formant plis comme les primitifs... Vincent y voit du Daumier à faire, moi au contraire, je vois du Puvis coloré, mélangé de Japon. En tout cas, il y a ici une source de beau style moderne.

(Lettre à Schuffenecker, novembre 1888)

Sous l'aiguillon de la concurrence avec Vincent van Gogh, qui peint une composition comparable (*Souvenir du jardin d'Etten*) dans une manière encore pointilliste, un tonus neuf libère la puissance de Gauguin. Le synthétisme influencé par Emile Bernard préside au style : écarter tout réalisme, simplifier, unifier. L'anecdote décrite est sans importance, pour lui qui voit encore l'humanité en décorateur, qui cherche le motif, le rythme (il les reprend dans une zincographie de 1889, *Les Vieilles filles*). Ainsi, les silhouettes se découpent sur un paysage plus fort qu'elles, un environnement inquiétant où des esprits pourraient se cacher dans le buisson du premier plan. Mais déjà, comme l'a écrit René Huygue, "d'une formule décorative Gauguin est passé à une force d'expression" : l'éclat des couleurs, les coups de fouet des lignes courbes, les oppositions de masse, donnent à cette scène hiératique une ardente vie intérieure, la sensation d'un mystère insaisissable.

"Tu vas voir que certains vont lui reprocher de ne plus faire de l'impressionnisme" écrit Vincent à son frère. Il ne se trompe pas : à Arles, Gauguin confirme la coupure avec ses anciens amis. Et Pissarro, qui ne partage pas sa fascination pour les sujets religieux, reniera son élève.

Les Alyscamps. 1888

Huile sur toile (92 × 73)
Signé en bas à gauche : "P. Gauguin 88"
Musée d'Orsay, Paris

Dans chaque pays il me faut une période d'incubation, apprendre chaque fois l'essence des plantes, des arbres, de toute la nature, enfin, si variée et si capricieuse, ne voulant jamais se faire deviner et se livrer.

Je restais donc quelques semaines avant de saisir clairement la saveur âpre d'Arles et des environs.

(Avant et Après, 1903)

Gauguin se moquait des peintres académiques qui "débarquent du chemin de fer, prennent leur palette et, en rien de temps, vous campent un effet de soleil. Quand c'est sec, cela va au Luxembourg et c'est signé Carolus Duran". Lorsqu'il rejoint Vincent Van Gogh à Arles, il se considère encore impressionniste, de ceux qui cherchent à rendre la nature dans toute sa vérité et pour cela libèrent la peinture. Ce paysage, qu'il intitule aussi *Les trois grâces au temple de Vénus*, peut être considéré comme son cadeau d'adieu à un style qu'il est en train de mettre en cause mais qu'il maîtrise parfaitement.

La touche souple, légèrement hachurée, les contours estompés et les passages volontairement doux évoquent Corot. Les arbres ruissellent de couleurs, à la manière impressionniste, et transmettent le flamboiement pathétique de l'automne, dans le respect subtil d'une nature qui envahit la toile, du coin de ciel vide jusqu'au talus, tapis somptueux traité avec la même plénitude compacte que le rang solennel des peupliers. Une certaine brutalité pourtant se fait jour, dans le fût bleu de l'arbre et le buisson d'un rouge ardent auquel Gauguin a voulu donner une grande importance : la radiographie le montre plus petit, comme elle révèle le travail sur la perspective (qui obéit peu aux lois du genre mais qu'accentue le mouvement effilé du chemin, vers le centre). Le graphisme du temple, plus caché par les arbres, a été allégé. Et la troisième Arlésienne a perdu son plastron blanc et gagné une jupe plus discrète, moins féminine.

Bonjour, Monsieur Gauguin.   1889

Huile sur toile (113 × 92)
En bas à droite : ''89/ Bonjour Monsieur Gauguin''
Narodni Gallerie, Prague

La peinture est le plus beau de tous les arts - art complet qui résume tous les autres et les complète. Comme la musique, il agit sur l'âme par l'intermédiaire des sens, les tons harmonieux correspondent aux harmonies des sons ; mais en peinture on obtient une unité impossible en musique.

(Notes synthétiques, vers 1890)

Dans cette réponse contradictoire au *Bonjour Monsieur Courbet*, vu avec Vincent à Montpellier peu avant son retour en Bretagne, Gauguin affirme tous ses principes : se libérer de la nature, tout sacrifier à la couleur pure, soumettre chaque tableau à un rythme unique, considérer l'œuvre d'art comme ''un équivalent passionné d'une sensation reçue''. Dans ce ciel d'orage, il reprend à son compte la violence lumineuse des ciels de Van Gogh. Mais les arabesques pâles des arbres dénudés, le relief aigu de la maison, son toit d'ardoise et son mur blanc, s'y opposent à la lourdeur des masses humaines du premier plan : c'est dans le fond du tableau que le peintre invite (il le fera souvent) à chercher l'explication de ''l'insondable mystère'' qui ne cesse de le poursuivre. Et c'est dans l'indigo, sa couleur de prédilection, ''la meilleure base'', qu'il exprime sa passion pour la peinture musicale.

Dès lors, il ne cessera plus d'opposer aux ''froids calculs de la raison'' l'intuition de l'artiste, telle qu'il la définit en 1898 : ''au moment où des sentiments extrêmes sont en fusion au plus profond de l'être, au moment où ils éclatent et que toute la pensée sort comme la lave d'un volcan''. L'œuvre ainsi définie est une émanation de l'inconscient, à la manière des futurs surréalistes. Mais aussi la suggestion d'une vision, d'une émotion, ainsi que la créeront les fauves et les expressionnistes. Mais encore une combinaison de lignes et de volumes, telle que la formuleront les cubistes... Ce *Bonjour, Monsieur Gauguin* résume à merveille l'intensité visionnaire d'un créateur qui a posé les bases de la peinture moderne, celles du moins du ''tout est permis''.

Bonjour M. Gauguin

Ramasseuses de Varech.   1889

Huile sur toile (87,5 × 123)
Signé en bas à droite : "P Gauguin 89"
Museum Folkwang, Essen

J'éprouve le plaisir non d'aller plus loin dans ce que j'ai préparé autrefois, mais de trouver quelque chose de plus. Je le sens et ne l'exprime pas encore. Je suis sûr d'y arriver, mais lentement malgré mon impatience.

(Lettre à Emile Bernard, 1889)

De retour en Bretagne, Gauguin peint surtout des thèmes religieux et des sujets rustiques où il recherche la même simplicité primitive, la même ferveur archaïque. Les gestes de ses paysans, qu'ils prient au pied du *Christ vert*, ramassent du varech ou soulèvent du foin (*Les Faneuses*), sont sacralisés avec la même force expressive. En quoi ils rejoignent les personnages de Millet, simplement esquissés, grossièrement sculptés dans le roc.

Craintives comme à l'église, habillées de "costumes influencés par les superstitions catholiques", les Bretonnes de Gauguin se courbent, s'agenouillent. Astreintes aux labeurs les plus durs, elles montrent une humanité enchaînée sur qui pèse la tristesse d'un paysage austère et sauvage. Au Pouldu, le peintre prolonge la *Vision après le sermon* dans une voie où la signification prime, autant par le dessin que par l'ordonnance tranchée des volumes. Silhouettes profilées à la manière d'Emile Bernard, densité des couleurs : son style se simplifie à l'extrême, ose des déformations utiles, ainsi que le dira Matisse, à "la proportion nécessaire des tons". Le corps vaut par les arabesques qu'il décrit et par son poids dans l'équilibre coloré de l'ensemble.

La rupture avec l'impressionnisme est définitive. Gauguin n'en respecte plus les deux lois fondamentales, peindre "sur nature" et employer des tons clairs juxtaposés. Bientôt, il va reprocher à ses anciens maîtres de chercher "autour de l'œil et non au centre mystérieux de la pensée". De se contenter d'un "art purement superficiel, tout de coquetterie, purement matériel, où la pensée ne réside pas".

Le Christ au jardin des Oliviers. 1889

Huile sur toile (73 × 92)
Signé en bas à droite : "P Gauguin 1889"
Norton Gallery, West Palm Beach

Qu'ils regardent attentivement mes tableaux derniers (si toutefois ils ont un cœur pour sentir) et ils verront ce qu'il y a de souffrance résignée. Ce n'est donc rien un cri humain ?

(Lettre à Emile Bernard, 1889)

Dans ses autoportraits, Gauguin se donne souvent l'allure d'un fauve traqué, plein de crainte et de défi. "Sans doute à d'autres époques eut-il été un croisé, un chevalier errant, un condottière ou un saint" écrit de lui Max-Pol Fouchet. Humilié, vaincu — dit-il — "par les événements, les hommes, la famille", ici il se reconnaît dans les souffrances du Christ, comme il le fera à nouveau en 1896 (*Autoportrait* dit *Près du Golgotha*). Au Pouldu, où il vit replié sur lui-même, il obéit à son propre conseil : "Le peintre doit trouver autour de lui, dans la nature, un type dans lequel il puisse s'incarner ou qu'il fera à son image."

Ce Christ, "douleur spéciale de trahison s'appliquant à Jésus aujourd'hui et demain — petit groupe explicatif — le tout sombre harmonie — couleurs sombres et rouge surnaturel", exprime pourtant, plus qu'un autoportrait narcissique, l'aspiration au sacré d'un esprit tourmenté d'absolu. Durant la même période, il peint un *Christ jaune* inspiré d'une sculpture en bois de Trémalo, et un *Christ vert* où il reprend le calvaire en pierre de Nizon : "J'ai cherché dans ce tableau que tout respire : croyance, souffrance passive, style religieux et primitif, et la grande nature avec son cri." Cette identité entre lui et la nature — "un cadre aussi triste que mon âme" — Gauguin va la cultiver pendant plusieurs mois avec obstination, accouchement dans la douleur et l'angoisse du "grand artiste" qui sommeillait en lui, et de son nouveau style "synthétiste et symboliste".

Portrait-charge de Gauguin
(ou *Autoportrait au halo et au serpent).* 1889

Huile sur bois (80 × 52)
Signé en bas à gauche : ''1889 / P.GO''
National Gallery of Art (Dale), Washington

Au fond la peinture est comme l'homme, mortel mais vivant toujours en lutte avec la matière.

(Lettre à Emile Bernard, 1889)

Libéré des ''entraves de la vraisemblance'' qui ligotent les impressionnistes, Gauguin veut aller plus loin que l'étude exclusive de la couleur ''en tant qu'effet décoratif''. L'intensité et la violence des tons qu'il emploie ici fait figure de manifeste, couleurs pures et stylisation que ne renierait pas le Pop'art...

Cette peinture sur bois décorait une porte de placard dans la salle à manger du Pouldu ; elle a certainement été exécutée très rapidement. Et non sans humour comme en témoigne l'auréole dont il se sanctifie après s'être représenté en Christ. Pourtant, elle rend compte de l'homme mieux que d'autres autoportraits, le décrivant tel que l'ont fait ses amis, son air à la fois hautain et doux, défiant et énigmatique, ce regard bleu et ''oblique'', cette force ingénue et cette ''prétention à la tyrannie''...

L'arabesque — plus que pour ses vertus décoratives dont le Modern Style va abuser — est exploitée en toute lucidité pour son symbolisme : ''La courbe représente la finitude de la création.'' Ondulation qui enlace et relie, courbe de la féminité retrouvée, représentation de l'unité entre le charnel et le spirituel. Serpent, elle figure le passage par la matière, le fruit de la connaissance volée dans le jardin d'Eden. Mais aussi le passage par la mort nécessaire à sa renaissance. Gauguin soupçonne-t-il la force de ce geste égyptien, main pinçant le serpent, maîtrisant sa puissance vitale et mortelle ? Ce geste, il le donne aussi à Meyer de Haan, dans son portrait *Nirvâna.*

Te fare hymenee (La Maison des chants).   1892

Huile sur toile (50×90)
En bas à droite : "P Gauguin 92 / TE FARE HYMENEE"
Collection Meadows, Dallas

Pour chanter et causer, on s'assemble dans une sorte de case commune. On commence par une prière, un vieillard la récite d'abord et toute l'assistance la reprend en refrain ! Puis on chante. D'autres fois on conte des histoires pour rire. Plus rarement on disserte sur des questions sérieuses.

(Noa Noa)

Ici, Gauguin met en œuvre toutes les ressources de sa science de la composition. Art du collage où l'on retrouve nombre de figures déjà utilisées, la jeune fille de *Quand te maries-tu ?* ébauchée au centre, à droite les deux femmes de *Sur la plage* et de *Parau Api* ; au premier plan la forme allongée sera reprise dans une aquarelle de *Noa Noa*, dans un tableau et une xylographie, et l'un des personnages en chapeau de *La Sieste*, qui sera peinte à Paris, apparaît vers la gauche... Un dessin d'étude met en place la géométrie globale mais la toile accentue la forte présence de la lumière verticale par la forme pyramidale donnée au groupe humain.

Avec une extraordinaire dextérité, Gauguin joue des obliques pour accentuer les rapports d'ombre et de lumière que quelques touches de vermillon et de chrome intenses réussissent à suggérer. Le tout d'une musicalité qui rappelle l'architecture d'un orgue et donne à entendre les chants comme les voix d'un chœur se répondent en canon. Par cette palette à la fois sourde et somptueuse, par ce savant clair-obscur créateur de mystère, Gauguin laisse entrevoir le trésor qu'il a parfois trouvé à Tahiti : "l'occasion d'être heureux sans espérance".

Tout ici semble réel, vécu. Et pourtant se dégage de la scène une sensation de rêve, caractéristique d'un art capable de suggérer des présences invisibles. Déjà, Gauguin passe insensiblement du vraisemblable à l'étrange. Bientôt, il va s'intéresser au surnaturel.

Manao Tupapau (L'Esprit des morts veille). 1892

Huile sur toile (73 × 92)
A gauche en haut : "Manaó tupapaú" ; et en bas : "P Gauguin/92"
Albright Knox Art Gallery, Buffalo

Harmonie générale, sombre, triste, effrayante sonnant dans l'œil comme un glas funèbre. Le violet, le bleu sombre et le jaune orangé. Je fais le linge jaune verdâtre, 1° parce que le linge de ce sauvage est un autre linge que le nôtre ; 2° parce qu'il suscite, suggère la lumière factice (la femme canaque ne couche jamais dans l'obscurité) et cependant je ne veux pas d'effet de lampe (c'est commun) ; 3° ce jaune reliant le jaune orangé et le bleu complète l'accord musical. Il y a quelques fleurs dans le fond mais elles ne doivent pas être réelles. Je les fais ressemblant à des étincelles. Pour le Canaque, les phosphorescences de la nuit sont de l'esprit des morts et ils en ont peur. Enfin, pour terminer, je fais le revenant tout simplement, une petite bonne femme.

(Lettre à Mette, décembre 1892)

A propos de cette toile, Gauguin a beaucoup écrit, des explications parfois contradictoires. A sa femme il dit avoir voulu donner de l'effroi à la jeune fille pour compenser "l'indécence" de sa pose dont les lignes et le mouvement l'intéressaient. Dans *Noa Noa*, il raconte la scène telle qu'il l'a rêvée (ou empruntée à *Madame Chrisanthème* de Pierre Loti), retrouvant Teura une nuit dans sa case, terrifiée, semblant voir en lui une apparition : "Jamais je ne l'avais vue si belle, jamais surtout d'une beauté si émouvante". A Monfreid, il démontre sa lucidité : "Partie musicale : lignes horizontales ondulant - accords d'orangé et de bleu reliés par des jaunes et des violets, leurs dérivés. Eclairé par étincelles verdâtres. Partie littéraire : l'esprit d'une vivante liée à l'esprit des Morts. La Nuit et le Jour". Dans le *Cahier pour Aline*, enfin, le peintre raconte comment, "une fois le Tupapau trouvé, il devient le motif du tableau et le nu passe au second plan".

Reste une œuvre merveilleuse, à la fois tendre et inquiétante, familière et exotique. Une des plus maîtrisées et des plus simples, par la stylisation, le double emploi de la couleur comme valeur expressive, poétique, et comme valeur harmonique, plastique. Et par la puissance évocatrice qui allie deux thèmes chers à Gauguin, celui de la femme nue, belle et sensuelle, et celui des présences invisibles.

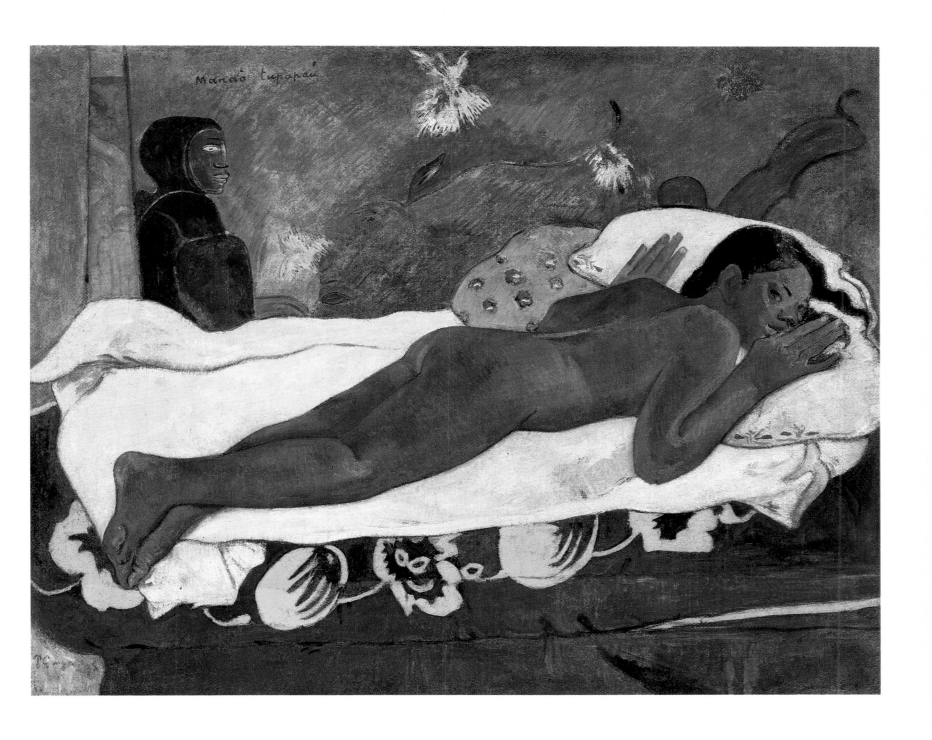

Nevermore. O Taïti.   1897

Huile sur toile (60 × 116)
En haut à gauche : "NEVERMORE / P. Gauguin 97 / O. TAÏTI"
Courtauld Institute Galleries, Londres

J'ai voulu avec un simple nu suggérer un certain luxe barbare d'autrefois. Le tout est noyé dans des couleurs volontairement sombres et tristes (...). Pour titre, Nevermore *; non point le corbeau d'Edgar Poe, mais l'oiseau du diable qui est aux aguets.*

(Lettre à Monfreid, février 1897)

Cinq ans après *L'Esprit des morts veille,* Gauguin reprend le thème d'Edgar Poe, le ''jamais plus'' que répète son oiseau de malheur. Luxe certes, obtenu comme il le souligne non par des effets de soiries et d'or mais grâce à ''la matière devenue riche par la main de l'artiste''. Luxe décoratif des boiseries que le peintre a sculptées dans sa case. Et évocation des esquisses de Delacroix pour *Othelo et Desdemone.* Luxe froid, pourtant, amer, lourd de fantômes en cette année 1987 marquée par la mort, celle du bébé de Pau'ura (dont la naissance avait inspiré la *Nativité* et *Te tamari no atua,* l'année précédente), celle de sa fille Aline que Gauguin va bientôt apprendre, et la sienne, alors qu'il souffre en permanence de maux divers et que son art s'en ressent : ''c'est mal peint (je suis si nerveux et je travaille par saccades)''.

Les œuvres de 1897 — une dizaine de toiles seulement — apparaissent toutes empreintes de la même solennité, hantées par la pression croissante de pulsions suicidaires chez un homme qui a la certitude d'avoir franchi le point de non-retour.

Vairumati.   1897

Huile sur toile (73 × 94)
En bas à gauche : "VAIRUMATI / 97 / P. Gauguin"
Musée d'Orsay, Paris

Elle était de haute stature et le feu du soleil brillait dans l'or de sa chair tandis que tous les mystères de l'amour sommeillaient dans la nuit de ses cheveux.

(Noa Noa)

Dans *Noa Noa*, Gauguin conte l'histoire de Vairumati, belle mortelle qui séduisit Oro, le plus grand des dieux après son père Ta'aroa : "gracieux et forts tous deux, tous deux divins, ils s'aimaient". De ces amours naquit la lignée des Areoi qui devait diriger l'île.

Gauguin s'est déjà inspiré de la légende, en 1892, pour *Vairaumati tei oa* et *Te aa no Areois*. L'ambiance de la scène, cinq ans plus tard, est beaucoup plus sombre, sensation d'un instant figé où l'immobilité des personnages est encore accentuée. Vairamuti, à l'expression totalement impénétrable, repose sur un trône richement décoré où apparaît le masque mortuaire d'une idole. Derrière elle, deux femmes reprennent les poses d'une frise de Borobudur déjà étudiée dans *Eiaha ohipa*. A ses côtés, "un étrange oiseau blanc tenant en sa patte un lézard, représente l'inutilité des vaines paroles".

Cet oiseau, dont la stylisation rappelle à la fois les figures du Codex aztèque et les oies japonisantes que Gauguin a peintes en Bretagne, reviendra en 1902 dans *Adam et Eve* et près de *L'Enchanteur*, accompagné cette fois d'un renard, "symbole indien de la perversité". Il représente donc autant l'innocence du messager des dieux que le combat entre "l'être intelligent et l'être inférieur". A ce titre aussi, il entre dans la grande composition *D'où venons-nous...* : les autres personnages de *Vairumati* sont d'ailleurs tous repris dans la grande fresque, avec ici un trait moins net, une atmosphère plus insaisissable, comme si Gauguin avait voulu suivre le conseil de Mallarmé : "suppléer à tout ce que l'œuvre ne renferme qu'en puissance en maintenant à l'état de virtualité tous ses prestiges, en ne la réalisant pas".

D'où venons-nous ? Que sommes-nous ?
Où allons-nous ?.   1897

Huile sur toile (139 × 374,5)
En haut à droite : ''P Gauguin / 1897''
En haut à gauche : ''D'où venons-nous / Que sommes-nous / Où allons-nous''
Museum of Fine Arts, Boston

J'ai mis là avant de mourir toute mon énergie, une telle passion douloureuse dans des circonstances terribles et une vision tellement nette, sans corrections, que le hâtif disparaît et que la vie en surgit. Cela ne pue pas le modèle, le métier et les prétendues règles, dont je me suis toujours affranchi mais quelquefois avec peur.

(Lettre à Monfreid, février 1898)

''Je n'en ferai jamais de meilleure ni de semblable'' : à plusieurs reprises, Gauguin s'est expliqué sur cette toile peinte alors qu'il pense à se suicider. Il la considère comme son testament, réflexion angoissée sur la destinée humaine, résumé de sa philosophie et de ses recherches picturales.

La vie, comme une attente au bord du gouffre, ce paysage ''constamment d'un bout à l'autre bleu et vert Véronèse'' sur lequel se détachent les nus ''en hardi orangé''. De la naissance à la mort, Gauguin déroule le fil à rebours, de droite à gauche, à l'inverse du sens de lecture traditionnel. D'où l'intériorisation du sujet, mais aussi la dramatisation de la fatalité, du peu de choix qui nous est imparti.

La composition n'est pas centrée. Elle repose sur deux verticales, l'idole — ''faisant corps dans mon rêve avec la nature entière régnant en notre âme primitive'' — et le garçon cueillant un fruit : la figure est copiée d'un dessin attribué à l'école de Rembrandt et Gauguin l'a déjà étudiée (habillée dans *Rupe rupe* (1897), elle sera féminisée en 1903 pour *L'Invocation*). ''Tout cela est fait de chic, du bout de la brosse, sur une toile à sacs pleine de nœuds et rugosités.'' Le support est en effet ''terriblement fruste'' mais, contrairement à ce qu'il prétend, Gauguin a réalisé pour cette fresque une esquisse préalable et des tableaux qui sont autant d'études préparatoires : pour le paysage (*Te Bouran*, aux branches bleues enchevêtrées), les animaux (on reconnaît le chien et l'oiseau blanc mais aussi les chèvres de *Faariri maruru*), pour l'idole (présente sous cette forme javanaise dans *Mahana no atua* de 1894) et, en fait, pour toutes les figures, certaines récentes, d'autres très anciennes (la vieille femme, momie péruvienne et *Eve bretonne*). Comment s'en étonner : *D'où venons-nous...* concentre toutes les obsessions du peintre. Par exemple, les deux femmes vêtues de rouge ''qui osent penser à leur destinée'' : inspirées du *Sénèque mourant* de Delacroix où elles personnifient le dialogue entre le Bien et le Mal, elles apparaissent, parfois fugitivement, dans divers tableaux (*Te Arii vahine* (1896), *L'Appel* ou *L'Enchanteur* en 1902...) et évoquent le geste tant de fois repris de la main levée en prière, tenant des fleurs (voir *Maternité*).

''Emotion d'abord, compréhension ensuite'' répondra Gauguin aux reproches de n'être pas intelligible. Au-delà de l'allégorie un peu naïve — ''merveille de littérature peinte'' s'exclame Charles Morice - *D'où venons-nous...* émeut encore, par sa puissance poétique, sa tendresse et, si perceptible, son désespoir.

Te Rerioa *(Le Repos* ou *le Rêve).*   1897

Huile sur toile (95 × 132)
En bas au centre : "TE RERIOA / P Gauguin 97 / TAÏTI"
Institut Courtauld, Londres

Tout est rêve dans cette toile ; est-ce l'enfant, est-ce la mère, est-ce le cavalier dans le sentier ou bien encore est-ce le rêve du peintre ! Tout cela est à côté de la peinture, dira-t-on. Qui sait ? Peut-être non.

(Lettre à Monfreid, mars 1897)

Beaucoup de références dans ce tableau : *Les Baigneuses* et *Les Massacres du Chio*, de Delacroix, inspirent les décors de la case. Mais aussi les bas-reliefs javanais de Borobudur, qui se retrouvent dans la pose de la mère. La figure du fond, à droite, reprend *L'Idole* de 1897. Les ornements du berceau reproduisent un dessin de *L'Ancien culte mahori*, le profil de la femme évoque *Bébé*, toile de 1896. Et l'ensemble rappelle *Eiaha Ohipa (Ne travaille pas)* : un couple assis dans une case avec un chat dormant en boule et un chien sur le pas de la porte.

Beaucoup de nostalgie, aussi, mélancolie douce, accentuée par l'ambiance verte, calme à l'intérieur de la cabane, et par le paysage, un tableau dans le tableau, où rougeoient les collines, sous un ciel surchauffé. Dans cette harmonie grave, à l'abri du monde qui l'agresse, Gauguin réfugie son âme et son corps malades.

Contes barbares. 1902

Huile sur toile (130 × 89)
En bas à droite : ''CONTES BARBARES / Paul Gaugin / *1902* / Marquises''
Museum Folkwang, Essen

En tout cas, j'aurai fait mon devoir et, si mes œuvres ne restent pas, il restera toujours le souvenir d'un artiste qui a libéré la peinture de beaucoup de ses travers académiques et de travers symbolistes (autre genre de sentimentalisme).

(Lettre à Monfreid, novembre 1901)

A Atuona, Gauguin trouve le second souffle qu'il espérait, ''pour arriver à une certaine maturité dans mon art''. Poésie étrange, harmonie, il condense dans cette toile tous ses rêves d'exotisme : couleurs saturées, sensualité des femmes, des fleurs et des mangues, orchidées roses, vapeurs violettes...

Dix ans après *Contes barbares* et *Parau hanohano* (*Paroles terrifiantes*), le fantôme tupapau resurgit auprès de deux vahinés, assises en posture de bouddha, deux incarnations de Hina opposées à la Mort et à l'esprit du Mal. Le revenant a cette fois nettement figure diabolique, sous les traits douloureux de Meyer de Haan, le disciple du Pouldu, dont Gauguin se souvient, avouant un sentiment où se mêlent curieusement aversion et culpabilité. La barbe rousse de l'apparition, symbole sans doute de la civilisation qui pervertit, résonne avec la chevelure de la vahiné au doux visage, être de jeunesse, complaisante femme de Haapuani le conteur-sorcier, image exquise à la Botticelli. Mais si mélancolique : dans toutes ses dernières œuvres, Gauguin allie cette tendre mélancolie avec une atmosphère fantastique où le rêve l'a définitivement emporté sur la réalité.

La Maison du Jouir.   1901-1902

Bois de sequïa polychrome
Linteau "Maison du jouir" (40×244)
Deux panneaux verticaux (200×40) et (160×40)
Un panneau horizontal "soyez amoureuses et vous serez heureuses" (40×200)
Musée d'Orsay, Paris

L'art marquisien a disparu grâce aux missionnaires (...). Voyant cela, je suis amené à penser, rêver plutôt, à ce moment où tout était absorbé, endormi, anéanti dans le sommeil du premier âge, en germes...

(Lettre à Charles Morice, 1902)

Ce "beau décoratif" dont les Marquisiens ont "un sens inouï", Gauguin le retrouve et l'accorde à sa propre vision. Ou comment, à partir d'une forme quelconque, parvenir à un tout harmonieux, dont "la base est le corps humain ou le visage, le visage surtout". A Tahiti déjà, piliers, frontons, linteaux..., la case tout entière avait vu son bois guilloché, percé et repercé, d'arabesques, de masques, de signes. Aux Marquises, Gauguin reprend les thèmes des bois de 1889 et 1890 (*Soyez amoureuses...* et *Soyez mystérieuses*) et, dans des planches de séquoïa (curieusement importées d'Amérique), il sculpte un cadre à la porte de sa case, baptisée *Maison du Jouir*, en écho au "Ici on fait l'amour" de son atelier parisien, rue Vercingétorix.

Avec la même brusquerie fébrile, son couteau dégage une oreille d'une seule entaille, s'attaque aux grappes de fruits, aux rinceaux, aux visages, visages de somnambules surgis à fleur de fibre. Le tout enveloppé d'arabesques voluptueuses. D'où cette œuvre étrange, à la fois violente, sensuelle, terrifiée... "Peindre ce qu'on rêve est un acte sincère" dit Gauguin.

Toutes ces figures sont des rêves matérialisés.

Ces bois, Victor Segalen les acheta à la vente aux enchères de Papeete, le 2 septembre 1903, quatre mois après la mort de leur sculpteur : "personne ne surmonta ma mise de cent sous".

BIBLIOGRAPHIE

Ecrits de Paul Gauguin

Noa Noa (en collaboration avec C. Morice). La Plume, 1901.
    Manuscrit original illustré : cabinet des Dessins, Louvre.
    Fac-similé du manuscrit original : Association des Amis de Gauguin à Faluti (Hazan). 1987.

Avant et Après. Fac-similé du manuscrit illustré. Copenhague, 1948-1951.

Racontars d'un rapin. Paris, 1951.

Ancien culte mahorie. Manuscrit original : cabinet des Dessins, Louvre. Fac-similé (présenté par R. Huyghe). Berès, 1951.

Le Sourire. Fac-similé de douze numéros (présenté par L-J. Bouge). Maisonneuve, 1952.

Cahier pour Aline. Fac-similé du manuscrit original (présenté par S. Damiron). Paris, 1963.

Carnet de croquis (1884-88). (Textes de R. Cogniat et J. Rewald). Hammer Galleries. Paris, 1963.

Carnets (1888-90). (Texte de R. Huyghe). Editart, 1952.

Carnets de Tahiti. (Texte de B. Dorival). Quatre chemins, 1954.

Oviri, écrits d'un sauvage. (Extraits présentés par D. Guérin). Gallimard, 1974.

Correspondance-Documents, témoignages (établi par V. Merlhès). Fondation Singer-Polignac, 1984. (Tomes II et III en préparation).

Lettres à Georges-Daniel de Monfreid (précédé d'un ''Hommage à Gauguin'' de V. Segalen). Falaize, 1950.

Lettres à André Fontainas. Librairie de France, 1921.

Letters to Ambroise Vollard and André Fontainas. San-Francisco, 1943.

Lettres à Emile Bernard (Pierre Cailler). Genève, 1954.

Lettres à sa femme et à ses amis (recueilli par M. Malingue). Grasset, 1946.

Lettres à Odilon Redon (présenté par A. Redon. Notes de R. Bacou). Paris, 1960.

Lettres à Vincent, Théo, Jo van Gogh. La Bibliothèque des Arts. Lausanne, 1983.

BIBLIOGRAPHIE

Ecrits sur Gauguin

W. Andersen. *Gauguin's Paradise Lost.* Viking, 1971.

M. Bodelsen. *Gauguin, the collector.* The Burlington Magazine, sept 1970.
  Gauguin's ceramics. Faber and Faber (Londres), 1964.

F. Cachin. *Gauguin.* Le Livre de Poche, 1968.

C. Chassé. *Gauguin et son temps.* La Bibliothèque des Arts, 1955.
  Gauguin sans légende. L'Œil du temps, 1965.

Collection Génies et Réalités (ouvrage collectif). *Gauguin.* Hachette, 1986.

B. Danielsson. *Gauguin à Tahiti et aux Iles Marquises.* Editions du Pacifique, 1975.

B. Danielsson et O'Reilly. *Gauguin journaliste à Tahiti. Les Guêpes.* Société des Océanistes, 1966.

M. Denis. *Théories 1890-1910 du symbolisme et de Gauguin.* Rouart, 1920.

R. Field. *Paul Gauguin's Monotypes.* Philadelphia Museum of Art, 1973.

M.-P. Fouchet. *Gauguin, le peintre et l'homme.* Paris, 1975.

Pola Gauguin. *Paul Gauguin, mon père.* Les Editions de France, 1938.

Gazette des Beaux-Arts. Numéro spécial, 1958.

R. Goldwater. *Primitivism in modern painting.* Harper, 1938.

C. Gray. *Sculpture and Ceramics of Paul Gauguin.* Hacker Art Books, 1980.

M. Guérin. *L'œuvre gravé de Gauguin.* Floury, 1927.

R. Huyghe. *Gauguin.* Flammarion, 1979.

W. Jaworska. *Paul Gauguin et l'école de Pont-Aven.* Ides et Calendes, 1971.

W. Kane. *Gauguin's Le Cheval Blanc.* The Burlington Magazine, juillet 1966.

J. Leymarie. *Paul Gauguin : aquarelles, pastels et dessins.* Bâle, 1960.
  Catalogue Exposition du Centenaire. Paris, 1949.

Y. Le Pichon. *Sur les traces de Gauguin.* Laffont, 1986.

S. Longstreet. *The Drawings of Gauguin.* Borden, 1965.

M. Malingue. *Gauguin.* Les Documents d'Art. Monaco, 1944.
  Gauguin, le peintre et son œuvre. Presses de la Cité, 1948.

C. Morice. *Gauguin.* Floury, 1919.

Musée départemental du Prieuré (catalogue de l'exposition *Le Chemin de Gauguin*), 1985.

J. Rewald. *Le Post-impressionnisme de Van Gogh à Gauguin.* Albin-Michel, 1961.
  Gauguin's drawings. New York et Londres, 1958.

J. de Rotonchamp. *Paul Gauguin.* Grès, 1925.

Victor Segalen. *Journal des îles.* Editions du Pacifique. 1978.
  Les Immémoriaux. Plon, 1956.

G. M. Sugana. *Tout l'œuvre peint de Gauguin.* Flammarion, 1981.

L. Sykorova. *Les Gravures sur bois de Gauguin.* Artia, 1963.

Y. Thirion. *Influence de l'estampe japonaise dans l'œuvre de Gauguin.* Gazette des Beaux-Arts, janvier 1956.

G. Wildenstein et R. Cogniat. *Catalogue raisonné.* Les Beaux-Arts, 1964.

INDEX DES ŒUVRES REPRÉSENTÉES

CRÉDIT PHOTOGRAPHIQUE

Photocomposition : Perrissin-Fabert, Annecy.
Photolithographie : GEA, Milan.
Impression et reliure : GEA, Milan